JN305812

ご飯は最強の健康食

加藤直哉

祥伝社黄金文庫

はじめに

「最後の晩餐《ばんさん》に何を食べますか？」

そう聞かれたらあなたは何と答えますか？

私なら迷わず「炊きたてのご飯」と答えます。

天然塩だけで味付けしたおにぎり、新鮮卵に醤油《しょうゆ》をタラリとかけた卵かけごはん、ご飯にみそ汁とお漬物……、これらの美味しさと言ったら、日本人なら言うまでもないことでしょう。

日本人にとって、お米は特別な食べ物です。

「お米には7人の神様がいる」とか、「88人の神様がいる」といわれることがあります。また、真っ白く炊けたお米のことを「銀シャリ（舎利＝ブッダの骨）」＝「銀色に輝く仏様の骨」と呼びました。このように私たち日本人は、お米を神に譬《たと》え、大切に大切に敬ってきました。

実際、お米はさまざまな場面で「神」を感じさせます。例えば、田んぼです。私は小学校から高校まで、田んぼのある風景の中を通っていましたが、春になるとピンク色のレンゲ畑が広がり、夏には一面グリーンの絨毯《じゅうたん》のようになり、秋になると稲穂が黄金色に輝くその姿に、大自然の神が田んぼに舞い降りたような美しさを見ることができました。稲を刈り取った後のわらはしめ縄としてお正月の各家庭や神社に、「神」そのものとして祀《まつ》られます。

お米の姿そのものも、神を感じさせます。炊きたてのお米は、湯気が立ち上り、表面は光沢をもち、真っ白なその姿は、白無垢《しろむく》姿の花嫁のような美しさであり、同時に豊かで純潔を持った神のようでもあります。それは、米が雨や風、暑さや害虫と戦いながら精一杯生きてきた証であり、農家の方々が、手塩にかけて育ててくれた愛情そのものなのです。その神の宿る炊きたてのお米を食べるときこそ、日本人として生を受けた幸せを痛感する瞬間です。さらに、お米の飽きることのないシンプルな甘さと味わいの中には、「安らぎ」が存在します。これは、お米の甘さが母乳の甘さに近いからではないかと思っています。実際、戦前までは、母乳が出ない場合、玄米粥を炊いて、それを布で漉《こ》したものを母乳代わりに飲ませていたと聞きます。

そう、お米は日本人にとって、愛であり、神であり、そして母なる食べ物なのです。そして、この神秘的な「お米」こそが、私たち日本人を健康にしてくれる最高の食材なのです。

お米を炊いて食べさえすれば、私たちは病気にはなりません。

しかし近年、この神の食べ物「お米」を食べることを禁じ、肉やチーズの多食を勧める「糖質制限ダイエット」が流行しています。確かに、この方法は一時的な体重減少は可能です。しかし、長期に続けた場合における問題点も指摘されており、注意が必要と考えています。

よって、本書では、お米の素晴らしさ、日本の食習慣の素晴らしさを科学的にお話しすると同時に、糖質制限における弊害もお話ししていきたいと思っています。

平成27年10月　加藤直哉

目次

デザイン／松本健司
編集協力／友文社

第一章

ご飯を食べれば病気にならない

1 ご飯を食べれば肥満にならない

「え、ご飯って太るんじゃないですか？」

と思っている方も多いでしょう。巷《ちまた》では「ご飯は太る」としてご飯を中心とした炭水化物を一切抜く「炭水化物ダイエット」などが流行っていますから。

しかし、ご飯を食べれば太る、逆にご飯を食べなければやせるということはありません。

それは厚生労働省の「国民健康・栄養調査」による日本人の年代別摂取カロリーと米の摂取量を見れば一目瞭然です。

まず、摂取カロリーです。

戦後すぐの食料事情がとても悪い1946年で1903kcal、その後、経済成長に合わせて摂取カロリーは増え続け、ピークを迎えた１９７１年には２２８７ｋｃａｌに達しています。そしてその後徐々に減り始め、２０１０年には１８４９ｋｃａｌまで落ちています。

年代	1日平均 カロリー摂取量	年間 米消費量
1946年	1903kcal	88kg
1971年	2287kcal（ピーク）	99kg
2010年	1849kcal	59kg

これに対して、いわゆる「肥満」の問題はどうでしょうか？

戦後すぐはもちろん、日本が有史以来最も多くのカロリーを摂取したであろう１９７０年代でも、肥満が問題視されることはありませんでした。

しかし、１９７０年代より４００ｋｃａｌも少ない現在の日本では成人男性で30％、成人女性で20％と成人の４人に１人は肥満の問題を抱えているのです。そして、肥満に伴い、高血圧・糖尿病・高脂血症など生活習慣病が大きな社会問題になっているのはご存じのとおりです。

ではなぜ、戦後よりも少ないカロリーしか摂っていないにもかかわらず、現在肥満が大きな問題になっているのでしょうか？

それは日本人がお米を食べなくなったからです。

お米の摂取量を見てください。

１９４６年には年間88ｋｇ、１９７１年には99ｋｇ食べていた米を、２０１０年では59ｋｇしか食べていません。

そして、その結果が「肥満」の増悪なのです。

米を食べなくなると太ってしまうのは、どうしてでしょうか？

それを詳しく見ていきたいと思います。

●ご飯が太らない理由①～脂質が少ない

お米が太らない理由の一つに「脂質の少なさ」があります。

ご飯の脂質がどれくらい少ないか、米と並ぶ主食、食パンと比べてみたいと思います。

食パンの場合、カロリーの中で脂質の占める割合は約15%です。これに通常はバターやジャムなどをつけますから、脂質の割合はさらにグッと上がります。また近年では、パン食も多様化し、食パン以外のものを食することも増えました。例えば、クロワッサンは半分近くが脂質ですし、菓子パンにおいては、その中にクリームやチョコレートなどを含んでいますから脂質の割合はさらに高くなります。

これに対してお米の脂質はたった2%ほどしかありません。

では、この脂質が多いことは何が問題なのでしょうか?

その理由は大きく分けて3つです。

脂質は3大栄養素(脂質・炭水化物・たんぱく質)の中で、最もエネルギー効率が高いため、脂質をエネルギーとして消費しなかった場合、脂肪という形で、体内に蓄積されてしまいます。

炭水化物やたんぱく質が肝臓で代謝されるのに対し、脂肪を構成する脂肪酸はリンパ管を経由して直接全身を循環、体内の脂肪細胞に取り込まれ、エネルギーとして使われるまでたまり続けます。

さらに摂取した糖質やたんぱく質を脂肪に変換するにはエネルギーを消費するのに対し、脂質は余分なエネルギーが消費されないため、そのままの形で脂肪として蓄えられてしまいます。

それ以外にもカロリーは、脂質の割合が高すぎると燃焼しにくい性質があるので、同じカロリーを摂った場合、脂質の多いパンに比べてお米のほうが断然燃えやすい、つまり代謝しやすいため、太りにくくなります。

このように「脂質の量」という点から、お米は非常に太りにくいといえます。

●ご飯が太らない理由②～これぞやせる方程式

現在、やせるために最も行なわれている方法、それは「カロリー制限」でしょう。

しかし、実はやせるために大切なことは、カロリー制限だけでなくカロリーバランス、つまり消費・燃焼できる栄養素を、きちんと摂ることなのです。

先ほど出てきた1946年、1971年、2010年の年代別カロリーを、摂取栄養素の割合で見てみましょう。

1946年：1903kcal（たんぱく質：13％　脂質：7％　炭水化物：79％）

1971年：2287kcal（たんぱく質：15％　脂質：20％　炭水化物：64％）

2010年：1849kcal（たんぱく質：16％　脂質：27％　炭水化物：55％）

このカロリーの内訳から、脂質摂取量の増加を確認できます。

これがもう一つのポイント、「栄養バランスの問題」です。

現在、カロリーを効率的に燃焼する栄養バランスで最も良いのは、「炭水化物60％以上、たんぱく質15～20％、脂質20～25％」といわれています。この割合を、「ご飯６割、おかず４割」とざっくりいってしまえば、しっかりとご飯を食べることが理想的です。１９７１年の栄養バランスは、ほぼ理想的な割合だったのです。

これを、ご飯を少なくして、おかずを多く食べてしまえば、仮にカロリーは変わらなくても、栄養バランスが悪くなるため、脂肪を燃やしにくいからだになり、その結果肥満となっていくのです。

さらにいえば、現在、一汁三菜といわれた和食を食べる習慣はほぼなくなり、ハンバーグやから揚げなどの洋風の食事スタイルが定着したため、通常のおかずを食べた場合、それだけで脂質の割合が高くなってしまいます。

しかし、このおかずの組み合わせであっても、お米の脂質の比率が約２％と非常に低いため、ご飯をしっかり食べておけば「やせる方程式」の栄養バランスにあてはめることができるのです。

このように、「栄養バランス」という視点においても、ご飯をしっかり食べることが肥満を予防することになるのです。

●ご飯が太らない理由③～複合型炭水化物

お茶碗1杯のご飯と、鉄板に焼かれたステーキ、普通に考えて、お米より肉のほうがはるかに太りそうなのに、なぜご飯は太ると思われてしまうのでしょうか?

それはご飯の糖質と砂糖をイコールと考えているからです。

砂糖は確かに肥満の大きな原因です。まず砂糖は非常にハイカロリーです。

また砂糖は、サトウキビを圧搾して搾汁を取りだし、それを煮詰めて結晶化し、シロップ成分を除去した加工食品のため、体内での吸収が早く、急激に血糖値を上げてしまいます。

この急激に上がった血糖値を下げるために、スクランブル的に大量に放出されるインスリンというホルモンは、血糖値を下げるだけでなく、糖を中性脂肪に変換するという役割も持ちます。

つまり、砂糖の摂取により次のような構図が出来上がります。

砂糖摂取⇓血糖値上昇⇓血糖値低下ホルモン（インスリン）放出⇓糖を中性脂肪に変換⇓脂肪の蓄積⇓肥満
しかし、砂糖と同じようにご飯を語ることはできません。なぜなら、砂糖は加工された「単純型炭水化物」であるのに対してご飯やイモなどは加工されていない「複合型炭水化物」だからです。

お米の成分は、糖だけではなく、食物繊維やでんぷんなど、糖類以外のものが多く含まれていますから、砂糖とは全く異なる食べ物となります。

お米が砂糖とは違うということを明確に示しているのがグリセミック・インデックス（ＧＩ値）です。

これは食品ごとの体内での血糖値上昇スピードを計ったもので、糖を摂取したときの血糖値上昇率を100として、相対的に表わしたものです。

このGI値で見てみると、ご飯は81（ちなみに雑穀米なら55）と糖に比べて低い値となっています。これは、ご飯を食べても、食物繊維やでんぷんなどが多く含まれているため、消化・吸収に時間がかかるということを示しています。

つまりご飯は、砂糖と違って体内での分解・吸収に時間を要するため、血糖変動が緩やかで、その結果、インスリンの分泌も緩やかになり、糖脂肪変換作用が弱くなるのです。

ちなみに、パンのGI値を見てみるとフランスパン：95、食パン：95とともにご飯よりGI値が高くなっています。これは、パンは小麦を粉にしてから加工するのに対して、ご飯はお米そのものに水を加えて作るので、パンよりも腸内での消化・吸収に時間がかかるためと考えられています。

このようにGI値で見た場合でも、ご飯が太りにくい食べ物であり、また炭水化物の中でも、消化・吸収の早くない食べ物ということになります。

もう一度繰り返します。お米という炭水化物は「砂糖」ではありません。お米＝糖＝肥満という単純な図式にはなりませんから、安心してお米を食べてください。

※ＧＩ値注意点～ＧＩ値はインターネットでも、簡単に見ることができますが、そこに記載されている値は、同じ食品でもホームページごとで異なっています。その理由は、ＧＩ値の算出方法にガイドラインが存在せず、各機関が勝手に算出しているからです。またこのＧＩ値は炭水化物の種類や調理方法、他の栄養素との組み合わせ、食物繊維の種類や量などに大きく左右されます。以上の理由により、ＧＩ値は、まだ不確かな値と言わざるを得ないため、現時点では参考値程度と考えてください。

●ご飯が太らない理由④〜食べたときの満足感

ご飯1杯と食パン1枚を食べたときの満足感を想像してみてください。

ご飯をしっかり食べた場合は「食べた」という満足感があると思います。しかし食パンは1枚食べても「おなか一杯」という満足感は少ないのではないでしょうか？

しかし、実はこの2つをカロリーで見ると、驚くことに茶碗1杯のご飯（150g）のカロリー220kcalに対して食パン1枚（4枚切り）は264kcalもあるのです。

さらに先ほどお話をしたように、お米は粒のまま炊いてご飯にするために吸収が遅く、食後血糖値が維持されるために腹持ちが良く、空腹感を感じにくくなります。

これに対して小麦製品は消化・吸収されやすいので、その分腹持ちが悪く満腹感が得られにくくなります。そのため、食事がパン食の場合、間食をしてしまったり、強い空腹感のため次の食事を食べすぎたりしてしまうのです。

このように、同等のカロリーであるなら、満足感、腹持ちの良さという視点からも、ご飯のほうが太りにくい食材ということがいえるのです。

●ご飯が太らない理由⑤〜含有物がない

日本でとても人気のある市販の食パンの裏側を見てみましょう。あるメーカーの食パンです。

原材料には小麦粉以外に、砂糖、脱脂粉乳、食塩、マーガリン、バター、パン酵母、ショートニング、発酵風味料、大豆粉、乳化剤、でんぷん、植物性油脂、イーストフード、V．C（ビタミンC）が含まれています。

つまり、このパンには小麦粉以外にマーガリン、バター、ショートニング、植物性油脂などの油成分をはじめさまざまな添加物や砂糖、脱脂粉乳などが含まれていることになります。

これに対してご飯には米と水しか含まれていません。

余計なものが入っていませんから、ご飯は体内でも、脂肪になりにくいのです。

「でも私は糖質制限食（炭水化物ダイエット）でやせましたが…」という方に

以上肥満予防という視点からお米を見てきましたが、現在流行っている炭水化物ダイエットをなさっている方にとっては、疑問や反対意見もあると思います。

なぜなら、糖質制限食は確かに体重減少効果があるからです。特に糖尿病においては、体重を落とし、血糖値の上昇を確実に抑えてくれますから非常に効果のある食事療法だといえます。実際に、近年では、アメリカ糖尿病学会でも推奨される食事療法になりました。

ただし、みなさんに覚えておいてほしいのが、これはあくまでも「糖尿病」の場合に適する食事療法であり、通常のダイエットには適していないと考えられる点です。

なぜ、糖尿病ではよいのに、健康な人のダイエットとしては勧められないのでしょうか。

まず糖尿病で最も問題になるのは「血糖値が高い」ということです。高血糖の状態が長く続くと、体内では多くの病気が発生します。代表的なものとして糖尿病網膜症（目の奥の血管が損傷を受け、失明する）、糖尿病性腎症（腎臓の血管が傷み高血圧の原因となる／尿毒症から死にいたることもある）、糖尿病性神経障害（しびれ／神経痛／筋肉のまひ／知覚障害／下痢／便秘／排尿障害／インポテンツなどを発症）、動脈硬化症（動脈硬化を進め、狭心症／心筋梗塞／脳出血／認知症などの原因となる）、易感染症《いかんせん》（免疫力低下により膀胱炎／腎盂腎炎《じんろう》／歯槽膿漏／外陰炎／肺炎など感染症を起こしやすくなる）などが挙げられます。

つまり、糖尿病患者さんにとっては、何をおいても血糖値を下げ、これらの合併症を避けることが優先されます。よって、糖質制限によりいろいろな問題があったとしても、それ以上に、血糖値を低下させることのほうが、はるかにプラスとなるのです。

これに対して、健康な人が無理な糖質制限食を行なった場合、いくつかの問題が指摘されます。

●糖質制限食の問題①～肉の多食を勧めていいのか

糖質制限食とは、砂糖、また分解されれば糖質に変わる炭水化物が制限される代わりに、糖質の含まれないもの、その代表としての肉はいくらでも食べてよいという指導になります。実際に『肉を食べる人は長生きする』（柴田博著）、『肉を食べると健康になる』（高田明和著）、『50歳を過ぎたら「粗食」はやめなさい！『「低栄養」が老化を早める』（新開省二著）など、肉食そのものを勧める著書も、近年多数出版されています。

これは、「野菜をたくさん食べなさい」というこれまでの健康的栄養指導に比べて、みなさんが大好きな「肉」を勧める指導ですから、とても魅力的であり、多くの人が飛びつきました。

しかし、本当に肉はいくらでも食べてよい食べ物なのでしょうか？

これに対して、私が勤務している健康増進クリニックの院長であり、栄養学に非常に詳しい水上治医師が、科学的な視点から、警鐘を鳴らしています。水上医師の書いた『食べもの通信』（家庭栄養研究会　２０１４年７月号）を参考に、検証していきたいと思います。

●糖質制限食の問題②～「肉を食べると長寿」説の間違い

なぜ、肉を食べなさいという説が、近年流布しているかといえば、簡単に言えば、老年期に肉を摂らないと栄養失調になり、早く死ぬという説のためです。

特に過激な内容としては、「だれでも肉を多量に食べるほうが長生きする」とまで発言している著書もあります。しかし到底これは同意できません。なぜなら、肉の消費量と寿命は全く比例しないからです。

2007年、各国の一人当たりの1年間の肉の消費量（kg）を見てみましょう。わが国日本の48・5kgに対してアメリカは123・9kg、オーストラリアはなんと3倍近い133・2kgも摂取しています。これに対して寿命（2008年）はといえば、日本男性79歳、女性86歳に対して、アメリカ男性76歳、女性81歳、オーストラリアは男性79歳、女性84歳とどちらも日本より短命です。つまり、肉の消費量と寿命は単純な相関関係を示さないということです。

そもそも、日本人が世界トップクラスの長生きである理由は、主として和食によることが、栄養学的かつ医学的に、かなり以前から立証されています。和食には、世界一と言っていいほどの食の多様性があります。穀物、野菜、果物、魚介類、海藻などが、相乗的に日本人の健康に役立ってきました。

これに対して肉を勧めるある著者は「肉を毎日60～１００ｇにすると長生きしやすい」と提案しています。しかし、すでに日本人は平均で１日80ｇ程度、70歳以上の人でも約60ｇを摂取しています。ほかにも、魚や大豆製品を十分にとっており、肉からたんぱく質を摂取しなければならない科学的根拠はありません。

また、「たんぱく質全体のなかで、動物性の割合が50％以下の国は短命」という主張もありますが、これも仮説に過ぎません。これらの国の平均寿命が短い理由には、肉を多食できるほど経済的に発展しておらず、そのため医療が不十分であることなどが考えられるからです。

また、肉を推し進める著書の中に、「ベジタリアンは短命」という主張もありました。その理論は「平均寿命が50代以下であった１９３０年代は、たんぱく質の摂取量が今の1／5程度だったから、菜食主義者が短命なのは歴史が証明している」というものです。しかしこれは、公衆衛生という概念がなく、医療も未発達な90年近く前の話であり、全くもって科学的根拠の乏しい論理です。

また、これまで調査された数百の論文によると、ベジタリアンの寿命は肉食者に比べ3～7年長く、各死因すべてで死亡率が低いことがわかっています。

4万7000人のベジタリアンを追跡した米国の研究でも、ベジタリアンはそうでない人より男性で7・3年、女性で4・4年長生きしました。イギリスのベジタリアン4000人を7年間追跡した調査の結果でも、総死亡率は肉食者の半分でした。また米国で2万5000人のベジタリアンを6年間追跡したデータでも、心臓病死が一般の人と比べて1／3程度少ない結果が出ています。

日本人のベジタリアングループでも、倉恒匡徳・元九州大学医学部教授の長年の追跡調査において、総死亡率25％減、がんリスクは半分、脳卒中リスクも4割減という報告がなされています。

逆に、肉の多食による害も多くの研究から報告されています。例えば、米国がん研究財団・世界がん研究基金（日本を含む世界中から一流の医学者が参加し、それぞれのがんのリスクを5000近い文献で詳細に検討）による、肉に対する指導はこのようになっています。

「肉は週に300g以下にすべし。くん製品や塩蔵品（ハムやソーセージ、塩漬け肉など）は避けること」

なぜなら、各種の研究データ上では、肉の摂取量が1日50g増えると大腸がんは15％増加する計算になるからです。

つまり、今の日本人の平均的な肉摂取量80gの半分に近い数字を考えれば、これ以上増やすと、さらにがんリスクも増えることになることはご理解いただけるでしょう。

さらに日本のデータも、肉食を勧めない結果です。国立がん研究センターが、45～74歳の約8万人を約10年間追跡した結果、肉類を多く食べる人は結腸がんリスクが高いことが判明しました。男性では、肉類を1日100g以上摂取しているグループは、最も少ないグループ（同35g未満）に比べて、結腸がんリスクが1・44倍高かったのです。

さらに肉は女性ホルモンを増やして、乳がんリスクを上げるという説もあります。ある日本のデータでは、肉を毎日食べる人は、食べない人よりも乳がんリスクが倍になりました。

また、国立がん研究センターが行なった調査では、26万人を17年間追跡した結果、毎日肉を食べている人は、あまり食べない人に比べて、前立腺がんのリスクが6倍でした。

これらの調査結果は、肉食が増えると寿命が延びるという根拠はないどころか、逆にがんやその他の病気が増えるリスクを示しています。

つまり、お米を否定し肉を食べることを推奨する「糖質制限食」は、問題の多い食事療法ではないかと考えられます。

●糖質制限食の問題③～寿命が短くなる危険

元国立国際医療研究センター病院　糖尿病内分泌代謝科の能登《のと》洋《ひろし》先生の報告です。これは糖質制限食の効果について世界中の論文（追跡期間5～26年、対象人数22万7216人）をまとめたものです。

これによれば、糖質制限食を長期間続けると、総死亡率が31％増加という結果だったのです。

さらに、糖質を制限することで血液をサラサラにし、健康を維持するという名目であるにもかかわらず、血管の詰まりで発症する心血管疾患（心筋梗塞や脳梗塞など）の死亡者数も糖質制限群のほうが10％高かったのです（ただし統計的有意差はなし）。

以上のことから、糖質制限食は糖尿病治療のための食事療法であり、健常者の食事療法としてはふさわしくないといえます。

そもそも炭水化物制限は、お米はもちろん小麦もダメですから、パン・うどん・ラーメン・パスタなどの麺類もすべてダメということになります。さらに、糖分の強い果物や甘い野菜もダメです。これでは続けることは困難です。

特にダイエットが目的の場合は、お米を食べ、適度に運動して代謝を上げて体重を落とすことが、最も正しい減量方法だといえるのではないでしょうか。

なお、まだ糖尿病にはなっていないけれど、これから糖尿病になることが心配だという場合、科学的にお勧めできる方法があります。

①大阪府立大学、今井佐恵子《いまいさえこ》教授の研究報告　～米国糖尿病学会（ADA2012）～

炭水化物（ご飯やパン）の前に野菜を食べ、すべての食物を20回以上咀嚼《そしゃく》すると、血糖変動やHbA1c値（糖尿病の診断基準に利用される血糖の1ヵ月の平均値）が有意に減少することが確認された。

②カナダ・トロント大学栄養代謝学研究専門教授、デビッド・ジェンキンズ氏らの研究報告

豆類を食べさせた2型糖尿病患者は、HbA1c値だけでなく収縮期血圧までも低下。このことについてジェンキンズ氏は、「糖尿病患者における豆類の摂取が血糖コントロールだけでなく血圧も有意に改善させることにわれわれも驚いた」とコメント。

なお、同氏は、豆類がどういった機序で血糖値や血圧値の改善効果をもたらすのかは明らかでないが、豆類に含まれるたんぱく質および繊維質、ミネラルの効果が考えられるとしています。

この後、ご飯の素晴らしいおかずとして、納豆について熱く語りますが、これをしっかり食べていれば、血糖値を低下させる可能性があるのです。

血糖値が心配な方は、野菜や豆類を最初にしっかりと噛《か》んで食べるよう心がけてください。

●糖質制限食の問題④～便秘の増加

現在便秘症の人は、約800万人から1000万人前後いるといわれ、さらに現在も増え続けています。（国民生活基本調査によると、平成10年の調査では人口1000あたり女性46・7人、男性18・6人だったが、平成22年の調査では、女性50・6人、男性24・7人に増加したと報告）

この増加の原因の中に、糖質制限食の流行もあるかもしれません。

便秘予防で、まず大切なことは食物繊維をしっかり取ることがあげられます。食物繊維の多く含まれる食材と言えば、野菜、果実がすぐに頭に浮かぶでしょうが、実はお米にも多くの食物繊維が含まれています。例えば、可食部100gあたりの食物繊維量を比較してみますと、キュウリ1・1g、トマト1・0g、温州みかん1・0g、メロン0・5gに対して玄米は3・0g、精白米でも0・5gもの食物繊維が含まれています。

しかし、糖質制限食では、この食物繊維の多いご飯、果実は禁止され、また、じゃがいもやさつまいも、かぼちゃなど、食物繊維の宝庫である一部の野菜も、糖質のために禁止されます。これにより、糖質制限食は慢性的な食物繊維不足になりやすく、結果、便秘を引き起こしやすくなるのです。実際、糖質制限食が流行りだしてから、便秘などの腸の不調が大きな問題になったと、消化器内科専門である　松生恒夫先生は、著書『「炭水化物」を抜くと腸はダメになる』（青春出版社）の中で述べています。

２００３年以降女性がんの死亡者の最も多いのが大腸がん、男性でも3位であることを考えるなら、便秘など腸の状態を悪化させる可能性の高い糖質制限食は、やはり注意が必要なのではないかと考えています。

●砂糖の摂りすぎには注意

さて、ここで勘違いしてほしくないのは、「砂糖は摂ってよい」と言っているわけではないという点です。

私が前述したのは、「お米を、砂糖と考えて完全に除去する必要はない」ということであって、いわゆる単糖類としての砂糖をできる限り少なくするように努力する糖質制限には大賛成です。

先ほども述べましたが、砂糖とご飯は同じではありません。

砂糖はサトウキビを圧搾して取り出した搾汁を煮詰めて結晶化し、遠心分離をかけてシロップ成分を除去し洗浄して取り出したものです。これは糖そのものであるため、摂取後数分以内に血糖値を上昇させてしまいます。これに対してご飯、じゃがいもなどの複合型炭水化物は口にして10分以上たってからやっと血糖値が上がり始めます。また果物のフルクトース（果糖）は体内に入ると、25分後にようやく血糖値が上がり始めます。つまり、最終的には「糖」としての栄養分になるかもしれませんが、体内における反応は全く異なるのです。また、そもそもご飯やじゃがいも単独であれば、どれだけ食べたとしても、糖尿病になるレベルほど大量に食べることはできません。それは、これまでご飯を1日10杯近く食べていた1950年代の日本人、また主食のほとんどがイモであったアフリカなどで糖尿病が存在しなかった歴史が証明しています。

これに対して、砂糖は全く違います。砂糖ならご飯と違いいくらでも大量に摂ることが可能です。

実際近年は、砂糖を大量に摂取しています。

これは米国の報告です。1830年頃には年間5・0kgほどの砂糖摂取量だったのが、現在、なんと10倍以上の70・0kg近くも摂取するようになっています。とくにこの急激な上昇は第二次世界大戦以降であるため、ここ70年で一気に摂取量が増加したことになります。これは、米国の食文化を強く受けるようになった日本も同じで、戦前はほとんど摂っていなかった砂糖ですが、現在では年間30kg以上摂取しています。

これに対して、からだは非常に困窮しています。というのは、人類はこれまで飢餓との戦いであったため、食糧不足による低血糖に対してはさまざまな対応能力を持ちます。しかし食べ物がたくさんある状態、つまり高血糖に対しては膵臓《すいぞう》のβ細胞から放出されるインスリンしか持っておらず、対応能力は非常に低いのです。よって、現在のように、ケーキやジュース、アイスにチョコレートといった砂糖過剰摂取に対応できず、糖尿病をはじめさまざまな疾患が問題になっています。

例えば九州大学、清原《きよはら》裕《ゆたか》教授の報告です。それによれば、福岡県久山町《ひさやま》で行なわれた調査（町民８００人を15年間追跡調査）では、糖尿病予備軍（血糖値の高い人）はがんの死亡リスク３・１倍、アルツハイマー病（いわゆる認知症）のリスク４・６倍、心筋梗塞のリスク２・１倍、脳梗塞のリスク１・９倍も高かったという結果が報告されています。

また、米国ロマリンダ大学のフォウスト博士は、通常14個の貪食能力（菌を食べる能力）を持つ白血球（免疫力の主人公）は、ドーナツを1個食べると45分後には10個、チョコレートシェイクでは2個までしか菌を処理することができなくなり、炭酸清涼飲料水に至っては0、つまり全く貪食能力がなくなったと報告しています。つまり、砂糖の大量摂取は、免疫力の働きを止めて風邪やインフルエンザにかかりやすいからだにしてしまうということです。ちなみに炭酸清涼飲料水にはスティック砂糖5～10本分（15～30ｇ）という大量の砂糖が入っていますから、この結果は当然といえるでしょう。

これ以外にも、砂糖の大量摂取は精神を不安定にさせる、暴力行為に及びやすくさせる、集中力を低下させるなど、精神面での問題も指摘されています。

以上から、砂糖という糖質制限に関して、私は全面的に支援する立場に立っていることを、ここでは強調させていただきたいと思っています。

2　添加物が入っていない

●ご飯を炊く＝添加物摂取を減らす食生活

ご飯は「お米と水」だけしか入っていないと書きました。

この素晴らしさがみなさんおわかりでしょうか？

実は私たちは、知らないうちに非常に大量の添加物を日々摂取しています。私たちの国日本は、食品添加物摂取率は世界トップの国です。防腐、漂白、着色、発酵のためなどに利用されており、2010年3月の時点で厚生労働省に認められている指定添加物は、合成添加物393、天然添加物418、合計811種類もあります。

そして私たちは、これらの添加物を年間約4kg近く摂取していると考えられています。

もちろんこの添加物は安全と判断されたものだけが市販されています。ただ、この安全基準は動物実験のものであり、また多種類摂取に伴う実験はほぼ未実施です。

つまり、私たちは今、たくさんの食品添加物を多種類食べるとどうなるかの人体実験を積極的に自分からやっていることになります。また添加物の害ではないか、と疑われる症状が多数みられています。とするならば、やはり添加物の摂取は少しでも少ないほうがよいのではないでしょうか。


調味料（アミノ酸等）、増粘多糖類、PH調整剤、保存料（ソルビン酸K）、甘味料（ステビア）、酸化防止剤（ビタミンC）、漂白剤（次亜硫酸Na）、グリシン、酢酸Na、リン酸塩（Na）、酸味料、香料、香辛料、着色料（カラメル、黄色4号、赤色102号、カロチノイド）

そう考えたとき、ご飯を自分で炊くという行為は、添加物の量をぐっと減らすことになります。なぜなら、そこに含まれているのは間違いなく「お米」と「水」だけですから。

もし、お米を炊かず、手軽にコンビニでお弁当を買ったらどうでしょうか？　あるコンビニの幕の内弁当の裏面に書かれている添加物を列記してみましょう（図表参照）。

　グリシンはご飯につやと甘みをつけます。それによって古米でも新米のように炊き上がります。また次亜硫酸Ｎａで野菜をいったん脱色して色付けしますから、どんなくず野菜でも、見た目はいつでも新鮮です。さらにＰＨ調整剤などを使えば、「室温で12時間絶対に腐らない」弁当を作ることができます。

　さらにこの弁当には秘密があります。

「一括表示」です。どういうことかというと、例えばＰＨ調整剤を2種類以上使う場合は、別々の種類を書く必要はなく「ＰＨ調整剤」と一括表示でＯＫということです。つまり同じ役割のものであればたくさん使えば使うほど表示をあいまいにすることができるというなんとも「製造者」に都合のいい制度なのです。

　まだ、あります。「キャリーオーバー（持ち越し）」という制度です。例えば弁当についている醤油。「丸大豆しょうゆ」などきちんとしたものは「丸大豆　小麦　食塩」しか使っていませんが、安い添加物たっぷりの醤油は「脱脂加工大豆・アミノ酸液・ブドウ糖果糖液糖・グルタミン酸Ｎａ・グリシン・甘草・ステビア・サッカリンＮａ……」など多数の添加物を使っています。しかし弁当などで使うときは「醤油」と記載すればよいのです。

そしてコンビニ弁当は、この「一括表示」「キャリーオーバー」という制度まで加味すれば合計で大体１５０種類くらいの添加物が入っていると考えられているのです。

つまり、自分でご飯を炊かないで、１食コンビニ弁当にすれば、「きれい」で「安く」て、「便利」で、「味が濃くて美味しい」けれども、添加物を１５０種類くらい口にすることになるのです。

以上、添加物という視点からご飯を見たとき、ご飯を自分で炊いて食べることがいかに素晴らしいかをご理解いただけるのではないでしょうか。

3 豊富な栄養素

●ご飯には食物繊維、たんぱく質がたっぷり

ご飯にどれくらい栄養が含まれているかご存じですか?

お米の主成分は炭水化物です。炭水化物の糖質成分は、効率の良いからだのエネルギー源「ATP」に変化し、私たちの毎日の活動を支えてくれます。からだのエネルギーの50%~70%が炭水化物から作られると考えられており、私たちの食生活において炭水化物がいかに重要であるかがわかります。またこの炭水化物(糖)は脳の唯一のエネルギー源であるため、日々、レベルの高い活動を行なうためには必要不可欠な栄養成分です。

なお、お米には前述したように食物繊維がたっぷり含まれており、これに

より排便が促されますから、お米はそのままデトックス（解毒）効果へとつながります。

次に、たんぱく質の量を見てみましょう。

実はお米は植物性のたんぱく質（プロテイン）が摂れる数少ない食材の一つです。表を見てください。これは１００ｍｇ当たりのプロテイン含有量を数字化したものです。

（『天才児を育てる「食事」』　松村百合子著　コスモトゥーワン）

このプロテインスコアから、お米が大豆に匹敵するほどのたんぱく質を含んでいることがわかります。

牛乳との比較においては、負けていますが、これまで述べてきた諸条件を鑑《かんが》みて、決して引けを取っていないと言えるのではないでしょうか。

ここから考えれば昔の人が「日の丸弁当」という粗食で健康を維持できたのは、お米の良質なたんぱく質のお陰だと思います。

お米は、この他にも非常に多くの栄養素を含んでいます。

各種食品のプロテインスコア（mg／窒素1g）
必須だが体内で合成できないアミノ酸の必要量を100とする

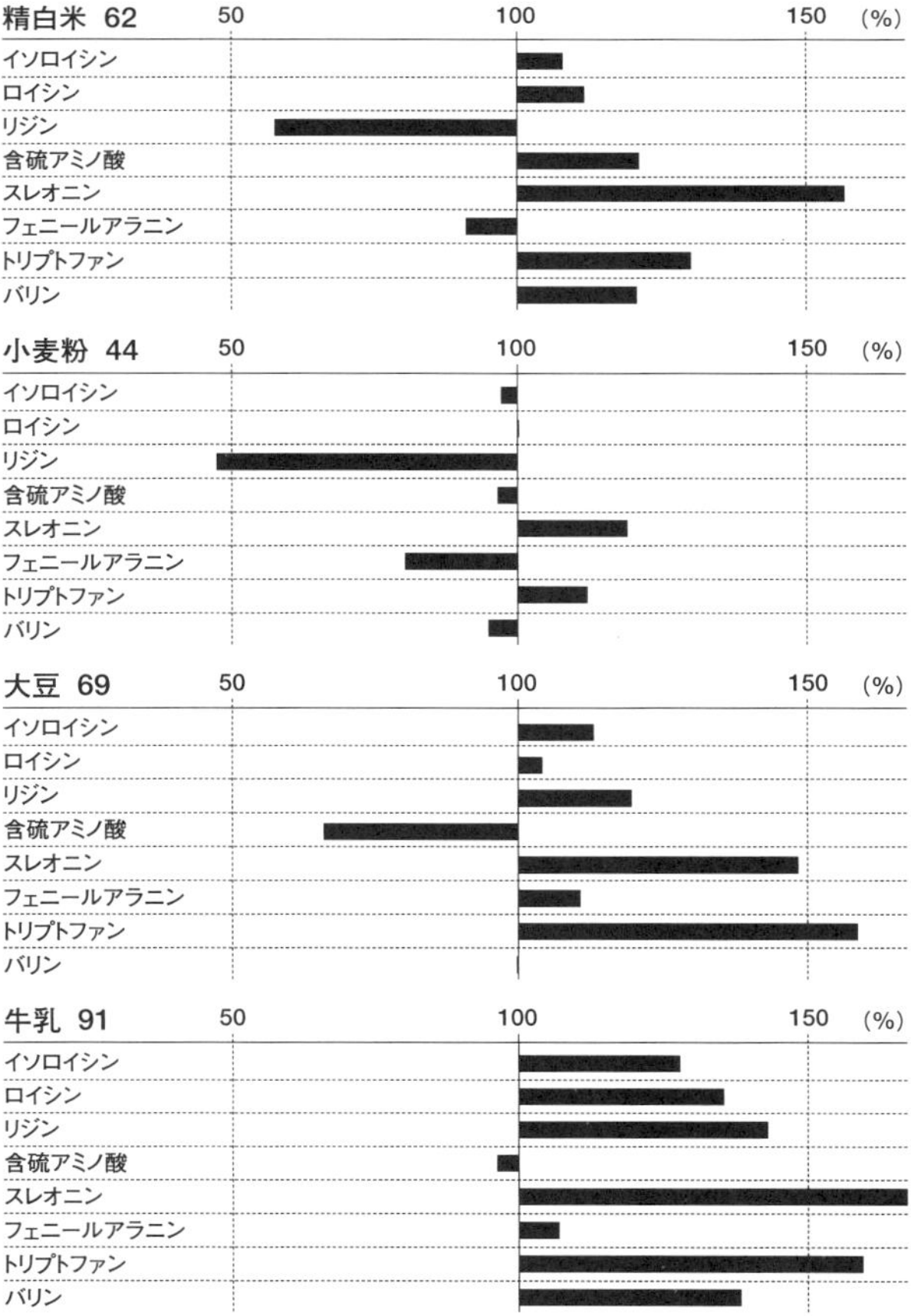

資料:科学技術庁改訂「日本食品アミノ酸組成表」（注）含硫アミノ酸にはメチオニン、シスチン等が含まれる

＊ビタミンB1　0・05mg（キャベツ100gに匹敵）
＊ビタミンB2　0・02mg（ダイコン100gに匹敵）
＊ビタミンE　0・3mg（ゴマ小さじ8杯に匹敵）
＊カルシウム　3mg（トマト1／3個に匹敵）
＊マグネシウム　6mg（アスパラ5本に匹敵）
＊亜鉛　810μg（ほうれん草1／3束に匹敵）
＊食物繊維　0・6g（セロリ50gに匹敵）

このように科学的視点から見てもお米は本当に素晴らしいものですが、さらに、お米の栄養価を簡単に飛躍的に上昇させるものがあります。それは「雑穀」です。

●雑穀こそ最強兵器

雑穀は、ひえ・あわ・きび・大麦などを代表とした食物で、もともとは米や麦がよく育たない寒冷地や山岳地帯で、生きていくために食べるしかなかったものであり、貧しさゆえの食物でした。

そのため、戦後世の中が豊かになり、食べることに困らなくなると、貧しさの象徴であった雑穀は見向きもされなくなりました。

ところが近年、雑穀が再度見直されるようになりました。それは、雑穀にはミネラル・ビタミン類・そして食物繊維が多量に含まれていることがわかったからです。

以下、代表的な雑穀を見てみましょう。

ひえ：ミネラルなどの成分が、全体的にバランスよく含まれているのが特徴。中でも目立っているのは、食物繊維。これは白米の8倍以上含まれる。その他、骨や歯を作るときに欠かせないマグネシウムは約4倍、亜鉛・リンは約3倍。また、ひえのたんぱく質には血中の善玉コレステロール（HDLコレステロール）の値を高める作用がある。

あわ：ひえと同様、ミネラルなどのバランスのよさがウリ。特に鉄分は精白米の6倍もあるので貧血の人にお勧め。また、骨や歯を作るときに欠かせないゴールデンコンビのマグネシウム&カルシウムが豊富で、マグネシウムは精白米の約5倍、カルシウムは3倍含まれる。あわのたんぱく質もひえと同様、血中の善玉コレステロールの値を高める作用がある。漢方では、腎臓の働きをよくして、脾臓《ひぞう》や胃の熱を取り去るとされている。

きび：ひえやあわと並んで、バランスの良い栄養価の高い食べ物。炭水化物やたんぱく質の代謝を促進するのに不可欠な亜鉛が豊富で、白米の2倍。食物繊維・鉄・マグネシウムなどは3倍。漢方では膵臓や胃の働きを助けるとされている。

大麦：優れた栄養価を持つ。日露戦争時、麦飯が採用されたのだが、それは大麦のビタミンB2に注目したことによる。しかし最近注目を浴びているのは、100g中に9・6gも含まれる食物繊維の量。これは精白米の約19倍、繊維の宝庫といわれているサツマイモと比較しても5倍。特に、大麦は、2種類ある食物繊維「水溶性」と「不溶性」のうち、精白米にはほとんど含まれない水溶性食物繊維が豊富である（「水溶性」は糖分やコレステロールの吸収を抑えることで生活習慣病を予防する役目、「不溶性」は腸内で水分を吸収することで便秘を解消する作用を持つと考えられている）。その他カルシウムは白米の3倍以上、ビタミンB2は2倍、抗酸化作用を持つポリフェノールも豊富と、非常に優れた食品となっている。

いかがですか、代表的な雑穀だけを述べましたが素晴らしいですよね。さらに素晴らしいのは雑穀の食べ方が簡単なことです。

ご飯を炊くとき、ご飯の量に対して1割ほど雑穀を混ぜて炊くだけです。それだけで、栄養面はもちろん、味に深みが出て、白米がとても美味しくなります。古来日本人を飢餓から救い、そして現在日本人の健康を維持してくれる雑穀を、ぜひ日常の食習慣に加えてください。

☞ワンポイントアドバイス：白米だけのときよりも、気持ち多めの水を入れる。後述するにがりと一緒に炊くと、より美味。

4 風邪をひかなくなる

●ご飯を炊いてお米の恩恵にあずかる

「米を食べる」ことの素晴らしさを、「感染症予防」という面から推奨している面白い研究があります。これは東京大学農学部の荒井総一郎助教授（当時）らの研究発表です。

その報告によれば、米の中からウイルスの増殖を抑えるたんぱく質があることを発見したというのです。ごく微量で効果があり、しかも副作用はなく、さらに熱に強いため、米を炊いても効果は変わることはないという優れものです。その名は「オリザシスタチン」。このオリザシスタチンはウイルスに含まれるたんぱく質分解酵素の働きを阻害することでウイルスの増殖を阻止します。

「米」をしっかり食べることは、それだけでインフルエンザを含め風邪予防になるのです。

1万年という長い間、日本人が最も多く食べてきた米が、感染予防の力も持っているのです。日本人のソウルフード、「ご飯」って本当に素敵ですよね。

以上、ご飯の素晴らしさを「肥満」、「添加物」、「栄養」、「感染予防」という視点から述べてきました。

「ご飯を炊く」という行為を毎日の習慣にして、この素晴らしい恩恵にあずかりましょう。

☆お米を研ぐのが面倒くさいあなたへ

「毎日仕事して疲れて帰ってきて、お米を研いで、炊くのはちょっと無理」

……その気持ちはとてもよくわかります。そんな、あなたへお勧めなのが

「無洗米」です。

無洗米とは精白米の表面にある「肌ぬか」を特別な方法を使ってあらかじめ取り除いたお米のことです。だからお米を洗う必要がなく、お米に水を入れて炊飯器のスイッチを押すだけですぐにご飯を炊くことができます。

これなら食パンにバターを塗ってオーブントースターで焼くのと同じように簡単なので、満足感も得られるご飯を習慣的に食べることができるのではないでしょうか。

無洗米も雑穀と同様、水加減は普通のお米よりも多めにしたほうが美味しく炊けますので、水は少し多めにしてください。

人によっては、無洗米は、ぬかを取り除きすぎていて、少し味気ないという方がいらっしゃいます。そんなときにお勧めなのが「にがり」です。これを数滴加えるだけで、ふっくらと美味しいご飯が炊きあがります。

炊飯器のそばに常備し、炊く前に数滴加えるだけですから手間は全くかかりません。さらに、このにがりは、味もさることながら雑穀に負けないくらい、素晴らしい栄養素も含んでいます。

ということで、にがりの凄さも少し覗いてみましょう。

にがりパワーを味方にする

にがりとは、海水から塩を作るときに海水を煮詰めていく過程でできる液体のことで、人間のからだに必要なミネラル類がほとんど含まれています。漢字で「苦汁」と書きますが、読んで字のごとく、原液をそのままなめると舌にびりっとくるほど苦いのが特徴です。そして、この苦みが、海水に含まれるミネラルの味でありパワーの源なのです。

みなさんもよくご存じのミネラルとしては、カルシウム、鉄、ナトリウム、カリウム、亜鉛などが挙げられます。人間の体の機能を維持したり、コントロールしたりするのに欠かせない栄養素であり、骨や筋肉、皮膚や臓器など人体構成成分のもとでもあります。

しかし現代人は圧倒的にミネラルが足りていません。

農薬や化学肥料を使った栽培法により土中のミネラルは激しく減少していますし、天然塩から化学塩への移行などによって、ミネラル成分が含まれない塩で味付けされた料理も増えています。さらに合成添加物やアルコール、過剰なストレスは体内のミネラルを消耗してしまいます。

この対策として、使えるのが「にがり」です。からだに必要なミネラルの数は約50種類あり、その中でも毎日摂る必要のある「必須ミネラル（16種類存在）」をすべて含んでいます。

よって必須ミネラルの絶好の補給源としてにがりを使うのはよい方法だと考えます。

利用の仕方は簡単。ご飯を炊くときににがりを加えていただくだけです。目安：5合に対して小さじ1杯（5ml）程度

これだけで、ご飯の味も栄養素も格段にアップします。

それ以外にも、コーヒーやお茶を飲むときに、1杯につき5〜10滴（約1ml）たらして飲んでいただくのも効果的です。

さらに、にがりには水道水の塩素を取り除く効果もありますから、ぜひ、毎日の生活に利用してください。

ただし大量に摂ると下痢をしやすい場合があるので、量は様子を見ながら個々で加減してください。

☞良いにがりを選ぼう！

まず天然にがりであることが条件です。製品によっては、豆腐を固める成分しか入っていないものもあるので、ラベルを良く見て「粗製海水塩化マグネシウム」とあるものを選びましょう。また、塩化マグネシウムの含有量に対してナトリウムの含有量が半分以下のものを一つの目安にしてください。

※参考文献：『天然にがりがすごく効く！』関太輔　東畑朝子監修　永岡書店　２００４年

☆自分でできる無洗米〜玄米は天然のサプリメント

実は自分で無洗米を作ることができます。玄米を購入し精米すれば、手作り無洗米になるのです。

ここで、玄米が出てきたので、少し玄米のお話をさせてください。

みなさんは「玄米はすごくからだに良い」と聞いたことはありませんか？　実はその通りで、「玄米は地球上にある食物の中でも最強の食べ物」と言っても過言ではありません。

玄米とは稲の一番外側の米の籾殻《もみがら》だけを除去したものを指します。ちなみに玄米からぬか（表皮）を除き、胚芽を80％以上残したものを胚芽精米、そしてぬかと胚芽を完全に取ったものが精白米です。

この「ぬか」、そして「胚芽」こそが、玄米の栄養の源となっています。精白米と比較すればわかりやすいのですが、ビタミンB1は4倍、B2は3・3倍、B6は1・7倍、Eは10倍、食物繊維は5倍、カルシウムは2・5倍になります。つまり玄米は天然のサプリメントなのです。

また最近、この玄米（ぬか）には素晴らしい成分が含まれていることがわかってきました。

・**γ－オリザノール**：強い抗酸化作用。視床下部に直接作用し自律神経が安定。また2012年7月、琉球大学益崎裕章《ますざきひろあき》教授の発表（マウス実験）では、γ－オリザノールを摂取すると脂肪分の多い食事への誘惑を軽減することが報告された。

※「甘いものがやめられない」「つい油の多い食事をしてしまう」と悩んでいる人たちは玄米を食べれば健康になるだけでなく、その誘惑も断ち切れる可能性がある。

・**フェルラ酸**：強い抗酸化作用。大腸がんの予防効果を確認。

・**ギャバ**：アミノ酸の一種。脳内の神経伝達物質。神経内科疾患に効果。

・**トコトリエノール**：ビタミンE類似物質。乳がん細胞50％抑制との報告。

・**アラビノキシラン**：細胞壁の主成分。免疫に作用することが明らかになり、今後が期待される。

・**ヒドロキシ酸**：がん細胞のみ増殖抑制効果、正常細胞に作用せず。白血病、乳がん、肉腫で延命効果あり。

これ以外にも、まだ知られていない有用な物質が多数あると考えられます。さらに、米ぬかと水の抜群の相性から考えたときに、玄米と水が見事に合体した玄米ご飯から、新規化合物が発見される可能性も示唆されます。

一つの食品でこれほど高い品質の栄養を備え、主食にふさわしい食物が他にあるでしょうか？　栄養問題の専門家や生活習慣病の研究者に尋ねても答えは「ノー」です。それほど凄い食べ物なのです。

この優れた食物「玄米」。神様が人間に与えてくださった宝物です。

とは言え、玄米にどれだけ栄養があっても、実際に自分で玄米を炊いて食べることを考えたときに、「無理」という言葉が浮かぶかもしれません。

気持ちはわかります。玄米を美味しく食べようと思うと、圧力鍋等で炊かねばならず面倒です。もちろん白米と同じように炊飯器で炊くこともできますが、白米に比べればやはりかたくて味が劣り、また見た目も美しくありません。

これを解決する方法があります。それが「分つき米」です。分つき米とは簡単に言えば玄米と白米の中間のお米です。玄米のぬかをわざと少し残して精米する、玄米と白米の〝いいとこ取り〟をしたお米なのです。

やり方は簡単です。まず1～2万円で家庭用精米機を買います。これに、自分が炊く分の玄米を入れ、ダイヤルを合わせてスイッチポン。数十秒で分つき米の出来上がりです。玄米から3割だけぬかを削り取ったのが3分づき米、半分削ったのが5分づき米、7割削ったのが7分づき米です。

5分づき米にすれば白米と味はほとんど変わりませんし、7分づき米なら白米と見間違えます。しかし栄養は白米よりさらにぎっしりと詰まっています。そしてこのようにして作った分つき米は、そのまま無洗米として使えるのです。

本来お米を研ぐのは、汚れを取り除いているのではなく、米の表面が空気に触れることでできた、米の味を悪くする酸化物質「肌ぬか」を取るのが目的です。これに対して精米したばかりの米は酸化していませんから、肌ぬかを取る必要がないため研ぐ必要はないのです。逆に、これをいつものように習慣的に研いでしまえば、せっかくの大事なぬかの栄養分をみすみす水に流して捨ててしまっていることになります。

つまりつきたての分つき米は自分で作る「無洗米」なのです。「精米する」と聞いたとき、それだけで非常に面倒な感じを受けたかもしれません。しかし、家庭用精米機は、前述したように、炊く分だけのお米を入れてスイッチポンで終わりです。機材を毎回洗う必要もなく、米ぬかを「ポンポン」と捨てるだけです。この十数秒の手間だけで、無洗米として洗わずに炊くことができます。さらに、毎日、サプリメントを購入しなくてもビタミンやミネラルたっぷりのご飯を炊くことができるのですから、家庭用精米機の初期費用は決して高くないのではないでしょうか。

余ったぬかの有効活用術

☆食品として

・ぬか漬け、たくわん漬け：後述しますがぬか漬けは最高の健康食品です。

・炒って食べる：ただし、精米したてのぬかでなければいけません。古い酸化したぬかはかえって逆効果です。
・ぬか入りパン：ホームベーカリーでパンを焼くときに　小麦粉に1割ほど混ぜて焼くと、美味しいパンができます。その他ハンバーグやカレー、クッキーやホットケーキミックスに混ぜて食べることも可能です。
・アクとり：大根、筍を煮るときひとつまみのぬかを入れるとアクがとれます。

☆清掃の味方として

・台所の布巾や雑巾をとぎ汁につけ置きすると漂白剤につけたようにきれいになります。また市販の漂白剤のように手が荒れたり、薬品の嫌な匂いがすることもありません。
・布袋にぬかを入れて、フローリングを磨くとピカピカになります。
・玄関、外庭などのコンクリートの床をほうきで掃くときにぬかをまいてから掃くと埃《ほこり》がたたず、きれいに掃くことができます。

☆家庭菜園・観葉植物に

・家庭菜園や観葉植物などに米ぬかを撒くだけで、有機肥料として使えます。これにより土壌の消耗を少なくし、肥沃さを保つことができます。

このように、精米によって出たぬかは、さまざまなことに利用できます。自宅でできる無洗米。挑戦してみてください。

第二章

ご飯はおかずが素晴らしい

第一章では、ご飯（お米）がいかに素晴らしい食べ物かをお話ししてきました。しかし、ご飯は単独で食べるということはなく、基本的におかずがセットになります。

ご飯のおかずといえばみなさんは何を思い浮かべますか？　現在の西欧化した食生活においては、から揚げにとんかつ、ハンバーグにステーキなどが浮かぶかもしれません。しかしこのおかずですと、おかずが主役になり、ご飯は脇役になってしまいます。この本の主役はあくまでもご飯です。

ご飯が主役で、できるだけ手をかけずに健康を手に入れるためのおかず、それをこの章で考えていきましょう。

手のかからない健康を手に入れるためのおかずとは何でしょうか？　それは、これまで長い間、日本人を支えてきた「みそ汁」「納豆」「卵」「梅干し」「漬物」です。ここからは、ご飯の素晴らしさを引き立たせるためにある、これらのおかずについて考えていきたいと思います。私たち日本人がお米以外に最も口にする食べ物の一つ、みそ汁からお話ししたいと思います。

1 みそ汁

外食時には、定食にセットでついてきますし、私自身も、1日1回以上は必ずみそ汁を食べます。

みそ汁の歴史は古く、庶民の食卓に登場したのは室町時代の頃といわれています。元々は田舎料理で主に農家などで作られていたものでしたが、時期が経つにつれさまざまな階層にも次第に普及し、やがて日本人の食卓に欠かせないものとなっていきました。

日本中で食されていますが、面白い地域差が見られます。呼び名で見てみると、東京近郊では、おみおつけ（御御御付）、京言葉では「おみい（みそ）のおしい（汁）」、近畿ではおつゆ（もしくは「おつい」）、また具材によっては「鱈汁《たらじる》」、「豚汁」、「三平汁」などと、みそ汁という名称は消え、新たな料理名となって登場したりします。ちなみに日本国外、主に英語圏では miso soup（ミソスープ）と呼ばれています。

このように日本で、そして世界で愛される美味しいみそ汁ですが、これは「健康」という面から見ても最高の食品ということになります。

では、その素晴らしさを見ていきましょう。

●みそ

みそとは大豆を原料に塩と麹を加えて発酵させた調味料の1つで、発酵の際に米麹《こうじ》を使用するか、麦麹を使用するか、豆麹を使用するかによって、米みそ・麦みそ・豆みそに分かれます。また、地域によっても特徴があり、江戸みそ（赤色の甘口米みそ）、仙台みそ（赤色の辛口米みそ）、信州みそ（淡色の辛口米みそ）、八丁みそ（赤色の辛口豆みそ）、京風白みそ（白色の甘口米みそ）など非常に多くの種類が存在します。

このみそ汁の主人公「みそ」を、「大豆」という視点で見てみましょう。

大豆：生命維持に不可欠な3大栄養素、たんぱく質・炭水化物・脂質にビタミン・ミネラル・食物繊維を加えた6大栄養素のすべてを非常にバランスよく含んでいます。また、洋菓子、スナック菓子、インスタントラーメンといった糖質が多い食生活のときに、ブドウ糖を完全燃焼するのに必要なビタミンB1も大豆には多く含まれているため、肥満予防の大きな武器になります。

この他、さまざまな栄養成分が見つかっています。その代表的なものだけを表記します。

・**プロテアーゼインヒビター**：発がん遺伝子抑制によるがん予防
・**フィチン酸、サポニン、フェノール酸**：ビタミンE（抗酸化作用による細胞のアンチエイジングの働き）、がん化阻止作用
・**フィトステロール**：コレステロール減少による血液サラサラ作用
・**イソフラボン**：骨代謝亢進《こうしん》抑制による骨折予防、エストロゲン作用による

更年期障害改善、乳がん、前立腺がんなどの予防作用

・**リノール酸、αリノレン酸**：必須脂肪酸。抗炎症、抗血栓作用で血液サラサラ

・**ゲニスチン**：がんの発生予防

・**レシチン**：動脈硬化予防作用、コレステロール減少、血液循環改善、肝機能強化、脳細胞における神経伝達物質のアセチルコリン活性による認知症予防、精神安定作用

・**大豆オリゴ糖**：腸内善玉菌の餌としてビフィズス菌等を増殖

このように大豆には、バランスのとれた栄養素以外に、日本人3大死因であるがん、動脈硬化、血栓に伴う心筋梗塞、脳梗塞、そして寿命増加に伴う認知症をも予防することができる成分を含んでいるのです。

実は、大豆のスゴさはこれだけではありません。「食糧危機」を救える可能性のある食物でもあるのです。日本に住んでいると「飢餓」という言葉はほとんど死語のように感じるかもしれません。しかし地球全体で見れば、地

球人口70億人に対して約8・5億人、およそ9人に1人、アフリカ大陸に至っては3人に1人が飢餓で苦しんでいます。そして、この飢餓で苦しむ人々は1分間に17人、つまり4秒に約1人、世界のどこかで亡くなっているのです。また世界人口は今後も増加の一途をたどり2050年には96億人に達するといわれています。つまり、今後、飢餓はさらに大きな問題となって地球を襲ってくるのです。そしてこの問題を救うのが「大豆」なのです。

ここに約4000平方メートルの土地があると仮定しましょう。そこで作った植物を牛の餌として利用した場合、その肉が養うことができるのは、1人の人間7日間だけです。これに対して、その土地で小麦を作付けし、人が食した場合は、527日分の食糧を得られます。では大豆はというと、なんと6年間、1人の人間を養うほどの食糧となるのです。

つまり同じ作付け面積に対して摂取できる食料カロリーで考えれば、大豆はダントツに効率の良い食べ物といえます。

このように「地球」という大きな単位で見た場合も大豆は最高の食べ物で

あり、その大豆を発酵させて作るみそは人にも地球にも優しい食べ物だといえるのです。

①醤油：醤油もみそと同様大豆から作られる日本人にはなくてはならない調味料です。大豆・小麦・塩を原料とし、麹菌・乳酸菌・酵母により発酵させることで作られます。最近では強い殺菌力・血圧低下・肥満防止（リジン）・疲労回復（アスパラギン酸）・活性酸素除去作用・知能アップ作用などの効果が報告されています。さらに醤油の香りにはリラックス作用などの効果があるといわれています。私は、アロマキャンドルよりも焼きおにぎりの香りのほうがリラックスします。

②豆腐：豆腐も大豆から作られます。（豆腐の作り方〜水に浸し、すりつぶした大豆を煮て、布でこし、にがりを加えて固める）豆腐は、みそ汁の具としてだけではなく、何も手を加えず、そのまま食べる「冷奴」から、煮る「あんかけ豆腐」、焼く「田楽」、炒める「炒り豆腐」、揚げる「揚げ出し豆腐」、擂《す》る「白和え」など、いかなる料理法にも応じてくれます。

それればかりではありません。薄く切って油で揚げれば「油揚げ」と名前を変えて、いなり寿司の包みからみそ汁の具の代表選手になります。その他、擂ってさまざまな野菜と混ぜ合わせて丸めて、油で揚げれば「がんもどき」となり、おでんには欠かせない具になりますし、凍らせて干せば「高野豆腐」として保存することもできます。このように豆腐は料理や加工で千変万化する食材なのです。

こんなに多種多様に食べられる食品はなかなかないのではないでしょうか。豆腐も、大豆の栄養素としてぜひ楽しんで食べてほしいと思います。

●煮干しなどの魚介類

みそ汁の美味しさを決めるものといえば「だし」ですよね。ここで使われる「煮干し粉」は美味しさだけではなく「健康」にも欠かせないものです。

それについて「ミネラル」「魚油」「タウリン」という視点から考えてみまし

よう。

・ミネラル：煮干し粉にはミネラルが非常に豊富です。例えば食材100mg中のカルシウム含有量は、牛乳100mgに対して煮干しは2200mgです。その他、鉄や亜鉛、銅なども豊富に含まれており、ミネラル不足が問題になっている現代人にとって、最高の健康食となります。

これまでも何度か取り上げましたが、ミネラル不足は現在日本人の大きな問題です。例えば1日3食すべてを大手コンビニの食品で摂った場合の主要ミネラルを見てみましょう。

＊『食事でかかる新型栄養失調』小若順一他著　三五館より抜粋

朝：バタースコッチパン

昼：幕の内弁当

夜：から揚げ弁当（高菜）

この食事のミネラル量を埼玉県食品衛生協会検査センターにて検査

①カルシウム　125（1日必要量550）

②マグネシウム　108（1日必要量230）
③鉄　1・8（1日必要量8・5）
④亜鉛　4・5（1日必要量7）
⑤銅　0・27（1日必要量0・6）

これらの食事を1ヵ月以上続ければ、ミネラル不足による健康障害が生じる確率は97％以上となります。

その他、宅配弁当、冷凍弁当、大手スーパーの弁当、冷凍食品、定番駅弁、大手ハンバーガーチェーンなどで3食摂った場合もミネラル不足による健康障害の確率は97％以上となっています。

以下にミネラル不足に伴う実際の問題を列挙します（P76図）。

この結果をみると現在日本で大きな問題となっている生活習慣病（高血圧：3970万人、脂質異常症：4220万人、糖尿病：890万人、慢性腎不全：1330万人）や、がん（日本人の死因第1位、3人に1人ががんで亡くなり、2人に1人が罹患《りかん》する）などの原因には、ミネラル不足が背景にあるのかもしれません。

「煮干し粉」入りみそ汁を毎日飲むことを心がけて、ミネラルをたっぷり摂り、生活習慣病を予防してください。

・魚油（ＥＰＡ、ＤＨＡ）：魚介類が持つ特有の油、ＤＨＡ（ドコサヘキサエン酸）、ＥＰＡ（エイコサペンタエン酸）が豊富です。

ＥＰＡは、強い血液サラサラ作用（血管拡張、血小板凝集抑制、中性脂肪、コレステロール低下作用など）を持ちます。

また、ＥＰＡの持つ抗炎症作用はがんの発生や転移を抑制することも近年の研究でわかってきました。つまり、ＥＰＡは血液サラサラ作用により心筋梗塞、脳梗塞を防ぎ、抗炎症作用により、がんを抑えるという「日本３大死因」に対して強い予防効果があるのです。もう一つの魚油ＤＨＡは脳の構成物質の一つであり、人類の脳の発達、進化に重要な役割を果たしたことが明らかになっています。また、ＤＨＡは脳の発達、知能指数と関係が深いという研究結果も報告されており、今後高齢者大国となる日本において、まさに

不足ミネラル	症状
カルシウム	骨の発育不良、骨粗鬆症、高血圧、動脈硬化、皮膚病、筋肉痛、感覚異常
カリウム	低血圧、不整脈、腎機能不全、糖尿病、便秘、喘息、がん、筋無力症、腸閉塞
マグネシウム	狭心症、腎不全、血栓症、結石、胆石、不整脈、心筋梗塞、疲労
リン	骨軟化症、発育不全、くる病、歯槽膿漏
鉄	貧血、甲状腺ホルモンの機能異常、神経過敏、動悸、冷え、胃がん
亜鉛	生殖機能障害、前立腺肥大、がん、皮膚炎、動脈硬化
銅	貧血、心不全、心臓機能障害、動脈硬化、ウイルス性肝炎
マンガン	中枢神経障害、骨発育不全、動脈硬化、血糖上昇、糖尿病
セレン	血流障害、血中コレステロールの増加、がん、精力減退、心臓病
クロム	糖尿病、動脈硬化、生殖機能低下、高血圧、白内障、角膜炎
モリブデン	成育障害、生殖機能低下、食道がん、胃がん、虫歯、尿酸代謝異常、不妊
ヨウ素	甲状腺腫、甲状腺機能障害、皮膚異常
ナトリウム	筋肉低下、心臓疾患、肝臓疾患、神経痛、食欲不振、全身倦怠
コバルト	悪性貧血、筋力低下、舌炎、手足のしびれ
ニッケル	肝・腎機能低下、腸吸収障害、心筋梗塞、脳卒中
珪素	動脈硬化、腱組織脆弱化
ゲルマニウム	老化に伴う疾患、がん
リチウム	躁鬱病、生殖機能障害
バナジウム	糖尿病、成育阻害、生殖機能低下

認知症を予防する切り札となるものと考えています。

・タウリン…「タウリン1000mg配合」という、有名なフレーズのドリンク剤があるためご存じの方も多いかもしれません。効果としては肝臓の解毒効果アップ、血圧値正常化、筋肉疲労改善、精力増進、視力回復、糖尿病予防などがいわれています。近年は、脳とタウリンの関係もいわれるようになりました。タウリンには交感神経を抑制し精神を安定させる働きがあるため、これを摂ると穏やかな気分になります。また体内にタウリン量が豊富にあると神経伝達物質が増加することもわかっており、これにより脳がすっきりし、仕事や勉強の効率が上がっていきます。

その他魚の効能についてはさらに膨大な調査データがあり、心臓病、高血圧、不整脈、突然死、糖尿病などを減らすなど、多数報告されています。

これだけすごい魚介類ですから、みそ汁のだしとしての煮干しだけでなく、その他の魚介類も積極的に摂取してください。

「でも、魚焼いたりするの面倒くさいし」との声も聞こえてきそうですが、大丈夫です。ふりかけ代わりにちりめんじゃこや干しエビをかける、魚の缶詰で一品増やす、外食で肉ばかりでなく魚も食べる、そんなことでいいのです。例えばサバの水煮缶。これは基本的に水揚げされたばかりの生の魚を缶に詰め、加圧しながら熱を加えるため、魚の栄養がギュッと詰まっています。DHAの含有量で見るなら、1缶で3〜4人分の1日に必要な量が摂れるほどです。なお、魚缶は残りの汁にDHAが溶け出しているので、汁ごと料理に使うのがポイントです。料理が面倒な人は、この汁をみそ汁に加えるだけでOKです。

厚生労働省は18歳以上の男女にDHA／EPAを1日1g以上摂ることを推奨しています。サバ缶の場合、100gあたりDHA1・2〜2・6g、EPA0・8〜1・7g含まれており、1缶300gで家族4人分の十分量を賄うことができます。

●とろろ昆布・わかめなどの海藻

「オリコン・スタイル」というウェブサイトに「大好きな味噌汁。具の王道といえば?」というランキングのページを見つけました。それによれば2006年1月18日〜1月22日、高校生、専・大学生、20代社会人、30代、40代の男女、各200人、計2000人にインターネット調査(好きな具はいくつでも選んでよい形式)したところ、1位:わかめ(69・1%)2位:豆腐(69%)、3位:油揚げ(56・3%)、4位:大根(55・1%)、5位:ネギ(48・6%)という結果になったと報告されていました。

この結果で面白いのは、3位以下は世代別、男女別でそれぞれあるのですが、1位と2位は必ず「わかめ」と「豆腐」のどちらかだったという結果です。

つまり、わかめと豆腐は、みそ汁の具の王道なのです。

豆腐についてはすでにお話ししましたので、ここではわかめを含めた海藻類についてお話ししたいと思います。

わかめの特徴として挙げられるのは、豊富な食物繊維です。特に水溶性食物繊維である『アルギン酸』が多いのが特徴で、これは有害物質を体外に排出する「デトックス効果」が高く、また血圧抑制、血液サラサラ作用があることでも知られています。その作用により、高血圧、高コレステロール、動脈硬化、胆石など、現在問題になっている各疾患から、わたしたちを守ってくれます。これ以外、血圧抑制、抗腫瘍効果、抗ウイルス作用をもつ食物繊維『フコイダン』も有名です。

また、ヨウ素というミネラルを多く含むことも特徴です。ヨウ素は体内で甲状腺ホルモンを作る主材料になります。甲状腺ホルモンの重要な働きとしては、基礎代謝を活発にし肥満を予防する、精神を安定させる、心身共に活発にしてくれる、などが挙げられます。また、わかめに含まれるヨウ素が、放射線により最も起こりやすいとされる甲状腺がんを防ぐことも報告されています。

その他、カルシウムや、カリウムなどのミネラル、β－カロテン、ナイアシン、ビタミンC・A・B・K等のビタミンも豊富で、健康的に非常に優れた食べ物であることがわかっており、わかめは最高のみそ汁の具であり、健康を推進する食材だといえます。

なお、わかめ以外の海藻類も、栄養素は満点です。

例えば、わかめと双璧をなす日本人がよく食べる海藻である海苔。食物繊維が多いのはもちろんですが、イワシの30倍も含むビタミンＢ１、牛乳の20倍のＢ２、レモンより多いビタミンC、魚介類のところで出てきた血液サラサラのＥＰＡやタウリン、２枚で大豆15ｇに匹敵するたんぱく質とこちらも全くわかめに引けを取らないほど素晴らしい栄養素を含んでいます。

これ以外にも、日本近海には、アオノリ、アオサ等の緑藻類２５０種、昆布、わかめ、ひじき等の褐藻類３８０種、アマノリ、テングサ等の紅藻類９００種と、世界一豊富な種類の海藻が生息しています。そんな自然豊かな日本に暮らせることを感謝し、いつまでもそのような海を持ち続けられる日本であることを願っています。

●乾燥ネギなどの野菜

ネギを含め野菜には、ビタミン・ミネラルはもちろん、酵素や食物繊維を豊富に含んでいます。ビタミン、ミネラルについては先に触れたので、ここでは酵素の働きを見ていきましょう。

酵素とは生物の細胞内で作られるたんぱく質性のもので、生命活動に欠かせないものです。植物が種から芽を出し、茎をのばし、花を咲かせるのも、人間が心臓を動かし、呼吸をし、消化・排泄することができるのも酵素が存在するからです。また血中をドロドロにする原因の一つである未消化の糖を分解し、血液をサラサラにしてくれるのも酵素です。つまり酵素は生物が健全に成長していくために必要な「命の源」であり、酵素の量が健康のバロメーターの一つなのです。そしてこの酵素をたっぷり含むのが野菜です。

さらに近年、野菜からファイトケミカルという物質も発見され、脚光を浴びています。これは、植物が持つ抗酸化物質で、植物の香り・味・色素などの成分です。生命維持に不可欠な栄養素とはまだ認められていませんが、これまでに1万種類以上の成分が発見されています。代表的なものはポリフェノール、カルチノイド、硫黄化合物、テルペン類、βグルカンなどが挙げられます。現在わかっている主な働きは以下のとおりです。

1）活性酸素除去　2）傷ついた遺伝子の修復
3）がん細胞の増殖阻止　4）感染に対する抵抗力のアップ
5）免疫力の向上　6）記憶力・集中力のアップ
7）老化防止、若返り

このように野菜には、からだにいいビタミン・ミネラル・酵素・ファイトケミカルがたっぷり含まれています。光・大地・水。これらのエネルギーを自らの中で統合して育つ、野菜をたくさん食べるようにしてください。

●みそ汁には一振り七味唐辛子

みそ汁を食べるときに、ぜひ使用してほしいのが七味唐辛子です。これは江戸時代から続く伝統的な調味料です。名前のとおり7種類の香辛料からできています。

①寒い場合は発熱を促し、暑い場合は発汗と食欲増進を促す唐辛子
②心身安定作用を持つケシの実
③不老長寿の食品と言われ紀元前3000年以上前から食べられているゴマ
④漢方薬としても使用される精神安定・安眠作用を持つ青ジソ
⑤健胃・精神安定作用を持つ陳皮
⑥解毒、健胃の山椒
⑦近年冷えの切り札として脚光を浴びている生姜

この中でも特にすごいのがゴマと生姜です。

驚異のパワー「ゴマ」と「生姜」

【ゴマ】

ゴマの歴史は非常に古く紀元前3000年頃アフリカのナイル川流域が原産と考えられています。初めて日本にやってきたのは700年頃で、1000年以上たった現在でも日本は非常にゴマを消費しており、年間16万トンと世界第2位の輸入国です（1位は中国）。

・**ゴマリグナン**：ビタミンE増強作用、がん抑制作用
・**セサミン**：コレステロール吸収阻止、血圧低下作用、肝機能改善作用、アレルギー抑制作用、がん抑制作用
・**フィチン酸**：がん抑制作用
・**トリプトファン**：脳内でビタミンB6、マグネシウムと共に神経伝達物質であるセロトニンを作り出すことにより精神安定、鎮痛、睡眠改善作用にてストレス軽減
・**不飽和脂肪酸**：体内で合成できない必須脂肪酸が豊富

・良性たんぱく質：20種類のアミノ酸をすべて含む

このように、さまざまな効果を持つゴマを、七味唐辛子としてはもちろん、ゴマ単体としても、積極的にどんどん食べるようにしてください。

【生姜】

冷えの予防として「生姜紅茶」が有名で、最近は、冬になるとコンビニでもペットボトルで購入できるようになりました。からだを温める効果が非常に高い食べ物です。また薬用効果も高く、漢方薬の中でも古典書の代表である「傷寒論《しょうかんろん》」には113方のうち39方、「金匱要略《きんきようりゃく》」205方のうち54方に配合されているほど頻用されています。つまりそれほど大切だと昔の人もわかっていたのですね。

栄養学的にも非常に優等生で、生姜100gに亜鉛400mg、カルシウム12mg、マグネシウム28mgなどを含んでいます。

わかっている効果・効能としては、下記のようなものがあります。

①クルクミン（スカベンジャー作用＊）

②ジンゲロール、ショウガオールなどの辛み成分による保温、唾液分泌、殺菌、解毒、血管拡張、血栓溶解、腸管内輸送促進作用

③プロスタグランジン（体内で痛みや炎症を引き起こす）を抑制し鎮痛、鎮静、解熱、鎮咳、去痰作用

なお、温める作用を求めるなら、生の生姜より干した乾姜《かんきょう》が望ましいです。これは自分で作ることもできますし、ネットで購入することもできますので、冷え性のために飲用する場合は、個別に利用してください。

ただし、漢方学的に生姜を薬として考えるなら「悪心嘔吐して口内に唾液が多く、口乾口渇しないものに対して主治となる」となります。つまり熱を体内に多く持つような人や、口が渇いているような人は、生姜を摂ると気分が悪くなることがありますので、その場合は摂らないようにしてください。

＊スカベンジャー作用：活性酸素からの防御機能

第一段階　予防的抗酸化物により活性酸素の生成を抑制

第二段階　活性酸素捕捉型抗酸化物により生成したフリーラジカルを消去

第三段階　活性酸素によって傷ついたＤＮＡ、脂質、たんぱく質等を修復、再生

☆～みそ汁の凄さを疫学調査で見てみよう～

「みそ汁は朝の毒消し」「みそ汁は医者殺し」

どちらも江戸時代のみそ汁に関することわざです。

またみそは「味噌の三礎（みそのみそ）」という言葉もあります。３つの礎とは味礎《みそ》（基礎調味料や味付けの基本となるもの）、身礎《みそ》（健康を維持して、人間の生命活動の源となるもの）、美礎《みそ》（美しさを保ち、老化を予防できるもの）のことで、このことからも、日本人が昔からみそを、みそ汁をいかに尊重していたかがわかります。

さらに、近年、みそ汁の凄さは、科学的に多数報告されるようになりました。

例えば、日本の疫学調査の父である元国立がんセンター研究所平山雄博博士は、みそ汁を毎日摂取する人は、飲まない人に比べて、胃がん・乳がんの

発症率が半分、胃潰瘍・虚血性心臓病・肝硬変などによる死亡率も有意に低いという結果を報告し「『みそ汁は医者殺し』ということわざは本当であった」と報告しています。

また2003年6月厚生労働省の調査として行なったみそ汁の調査でも、みそ汁を1日3杯以上飲んでいる人は、1日1杯の人に比べて、乳がんの発症率が40%低い、さらにみそ汁だけでなく豆腐や納豆など複数の大豆製品を毎日食べている人は、大豆製品をほとんど摂らない人に比べて乳がんの発症率は54%も低いとしています。つまりみそ汁、大豆は、食べれば食べるほどよいということなのです。

これ以外、人間ドックでの結果を調べた疫学調査でも、みそ汁を1日1杯以上飲んでいる家系では家族内がん発症頻度が低いことがわかっていることなど考えれば、みそ汁は、日本を健康にする最高の食べ物だといえるのです。

もちろん、これは、みそ（大豆）はもちろん、多種の野菜やわかめなどの海藻類、だしとして使われるかつおぶしやにぼしなどの魚介類の力が合わさった結果だと考えています。

ぜひ、毎日の食卓にみそ汁を取り入れていただきたいと思っています。

みそ汁の塩分が心配だという人へ

私自身がクリニックや講演会でみそ汁の素晴らしさを説明したとき必ず出るのが「塩分は大丈夫でしょうか?」という質問です。

確かにみそ汁1杯には約1g、1日量の10%の食塩が含まれています。また、「みそ汁は塩分が高くて血圧を上げるから控えるように」と指導する医師や栄養士の先生方も多くいらっしゃいます。

しかし、その心配はないと私は考えています。

例えば食塩に敏感になるように遺伝子を組み換えて、高血圧を起こしやすいモデルにしたラットを使用して行なった実験です。

これによればみそ汁を長期にわたって摂取したラットは、みそ汁に含まれるのと同程度の食塩のみを摂取したラットと比較して血圧は有意に低く、みそにはむしろ約30~50%の減塩効果があることがわかったのです。これはみそに含まれる食塩以外の成分が、腎臓での食塩排泄を促進することで減塩効果を発揮したからです。つまり、みそ汁の摂取はむしろ血圧上昇を防ぐことが明らかになったのです。

それ以外にも、みそ汁に含まれる食塩以外の成分による酸化ストレスの抑制で、血圧上昇に伴ってみられる高血圧性心筋障害や腎臓障害も抑制している、つまり、みそ汁を飲むと血圧を下げるだけでなく、血圧上昇による心臓や腎臓の疾患も改善させることがわかっています。

みそ汁と血圧が関係ないことは人でも証明されており、人間ドックで行なわれた横断的調査でもみそ汁の摂取回数は血圧値との間に関係がありませんでした。

またそもそも、塩と血圧の関係には相関性がなかったという論文もあります。

インターソルト・スタディという、32ヶ国、52の専門機関、1万79人を対象として国際的に行なわれた食塩摂取量と血圧に関する疫学調査がその一つです。

これによりますと、文明国で塩の摂取量が最も少ないサンフランシスコ（1日6g）と、最も多い中国の天津（1日14g）では6gのサンフランシスコのほうが高血圧は多かったのです。つまり「1日塩を6〜14gとっている文明国において、塩摂取量と血圧には全く関係がない」という結論が出たのです。

もちろん、だからといって塩をどんどん摂れといっているのではありません。塩を減らして血圧が下がる、塩感受性の高血圧は確かに存在します。しかし、その場合2006年米国心臓協会の大規模臨床試験の結果に伴う勧告に従うのであれば、1日3・8g以下となっています。

これを守ろうとすると、日本人の食生活では困難であり、そのストレスで血圧が上がり、体調が悪くなる可能性もあるし、食事の楽しみもなくなってしまいます。

私の個人的な意見としては、日本人の場合、血圧を塩分でコントロールするのはとても難しく民族的に合わないのではないかと考えています。そもそも、日本人の伝統食は1日塩分10gを優に超えていましたが、高血圧などほとんど存在しませんでした。

高血圧がどんどん増えたのは食事が西洋食になった1950年以降です。こういった背景には目を向けず、高血圧を塩のせいにして世界一の飲み物であるみそ汁を飲むなと指導をしている医師、栄養士はとても多いのです。

単純に塩の量だけで考えても、みそや醬油の塩分量は、サラダにどぼどぼとかけるドレッシングに比べると1／5～1／6にしかなりません。このような事実があるにもかかわらず、なぜみそ汁は悪く言われ、ドレッシングは無罪扱いなのでしょうか。とても不思議です。

では実際に血圧が高い場合はどうすればよいのでしょうか？

高血圧に関わる患者の受療率が、1960年当時は人口10万人に対して1

00人であったのが、1990年には5倍の500人に増えました。しかし食塩の摂取量は、1日当たり14gから11・5gに減っています。この間増えたのが摂取熱量に対する脂肪比率です。10%だった脂肪比率が25%以上となっているのです。これを見れば、血圧に対して塩よりも脂肪のほうが日本人にとってははるかに問題であるように感じます。

「ご飯をしっかり食べる」という食べ方は、必然的に脂肪を減らす食べ方となります。そして高血圧は改善していきます。つまり血圧が高い人ほどご飯をしっかり食べ、脂肪摂取量を減らせばよいのです。

以上、みそ汁=塩=高血圧という式は存在しないことを説明しました。どうか安心して、世界に誇るみそ汁を毎日の食習慣にしてください。

なお、ここでいう「塩」とは工場で作られた「食塩（塩化ナトリウム）」ではなく、古来から使用されているミネラルが多く含まれている「天然の塩（自然海塩）」のことです。よって、使用する場合は必ず自然海塩を使うようにしてください。

「いやいや、みそ汁の素晴らしさはよくわかりましたが、実際にみそ汁を作るのは大変で、忙しい私には無理です。そもそも、手軽にできるおかずではないでしょう」

その気持ち、よくわかります。確かにみそ汁は、手をかけようと思えばいくらでも手をかけられる奥の深い食べ物です。しかし、何度もいうようですが、この本の趣旨は「楽して健康」という観点に立っているので大丈夫。調理時間30秒だけど、とても美味しい「超高速みそ汁」の作り方をお教えします。

〜「超高速みそ汁の作り方」〜

材料：味噌大さじ1杯　煮干し粉小さじ1杯　とろろ昆布ひとつまみ　乾燥わかめひとつまみ　乾燥ネギひとつまみ　その他：好みで七味唐辛子

これらをおわんに入れてお湯を注ぎかき混ぜる。

はい、これで完成です。

これなら、忙しいあなたでも大丈夫ですよね。しかし侮るなかれ、たった

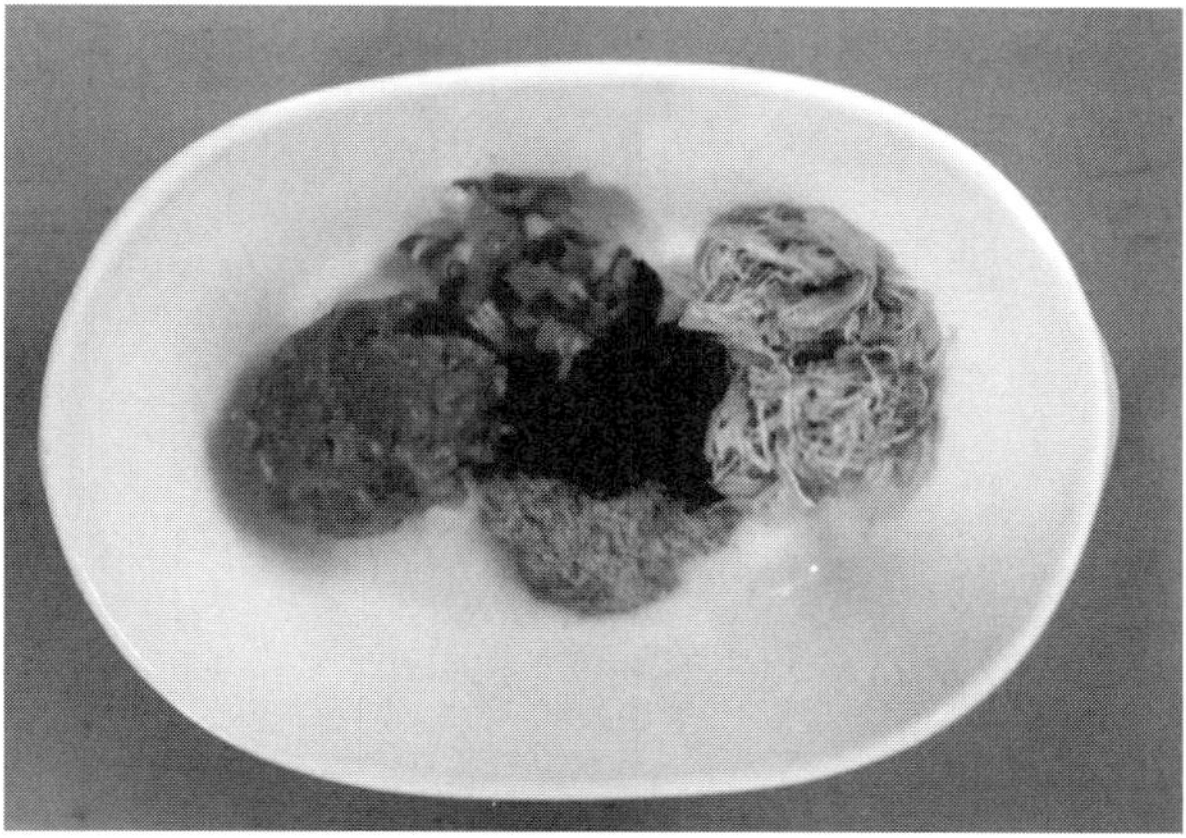

の30秒で作ったみそ汁ですが味はもちろん、栄養も素晴らしいのです。

●美味しいみそ汁の作り方

ステーキを毎日食べるのは無理。ハンバーガーを毎日食べるのも無理。毎日キャビアにフォアグラも無理でしょう。でもご飯と同様毎日食べることができるものがみそ汁です。私は、生まれてから40年になりますが、ほぼ毎日、場合によっては1日3食みそ汁を食べていますが、飽きるということが全くありません。

そう、みそ汁は日本人にとって、まさに奇跡の食べ物なのです。

なぜ、このように毎日食べることが可能なのか？　それは、だし、みそ、具を変えれば、まさに無限大の組み合わせを持つ変幻自在の食べ物だからです。

では、ここで、美味しいみそ汁を作るための基本的なだしの取り方と、みそ汁の可能性に触れてみましょう。『毎日のみそ汁100』（飛田和緒著　幻冬舎）を参考にさせていただきました。

・昆布&かつおだし（基本型、万能だし）の取り方

材料：昆布10g（昆布は1枚がほぼ10g）　かつおぶし40g（ひとつまみ）

　水1リットル（5カップ）

①昆布だしを取る

　昆布は使う1時間前から水につけ、中弱火にかける。鍋肌がフツフツと沸いてきたら、昆布を引き出す。これで昆布だしの出来上がり。朝のみそ汁用なら寝る前に鍋に放り込んでおくとよい。

②かつおぶしを加える

　昆布だしにかつおぶしを入れる。かつおぶしは小さなパックに入った削りぶしでもよいが、花がつおや荒削りを使うと香りよく仕上がる。

③かつおぶしが沈むのを待つ

かつおぶしを加えて、ふたたびフッフッと沸いたら中弱火で7、8分煮て火を止める（グラグラと強い火で煮出すとえぐみが出てしまうので、注意）。そのまましばらく待ち、かつおぶしが下に沈むのを待つ（4～5分）。

④網で漉す

さらしやペーパーなどで漉せばきれいな澄んだだしが取れるが、普段のみそ汁に使うなら網でささっと漉してしまえばOK。

これが本格的なだしの取り方ですが、もっと簡単な方法もあります。

・火を使わない煮干し&昆布だしの取り方

材料：煮干し20g（15～20尾）　昆布10g（1枚）　水1リットル（5カップ）

①材料をすべてピッチャーに入れ、水を注ぐ。

②水、昆布、煮干しを全部入れたらふやけるまで待てば出来上がり。目安として、冷蔵庫で一晩置く。冷蔵庫で2～3日保存可能。

・超お手抜きだしパック

とにかく面倒くさいなら市販のだしパックでOKです。今はいろいろな種類が出ています。それぞれ味が違うので、あれこれ試して好みのものを見つけてください。

＊だしパックを利用する際は、できるだけアミノ酸の入っていない、天然成分のみのものを探すようにしてください。

材料：だしパック1袋　水600ml（3カップ）

①火にかける5分～10分前に水につける。

②中弱火にかけて、沸いたら10分ほど煮出す（沸騰はさせずに、フツフツと沸くくらいを目指す）。

・具&みそを入れるタイミング

だしさえあれば、みそ汁は簡単に作れます。あとは具をどれくらい煮るかです。

例外もありますが、ジャガイモ、大根、かぼちゃ、ブロッコリーなどの硬い野菜、カニや魚のあらやあさりのようにうまみの出る具材は３〜７分ほど煮ます。反対に豆腐や葉野菜などの火の通りやすいものは、みそを溶く直前に。そして薬味は器に盛ってから添えます。

みそを溶くときは火を必ず弱火に落としましょう。止めてもいいくらいですが、少量の場合は冷めやすいので、ごく弱火にして溶けば美味しいみそ汁の完成です。

以上、みそ汁の基本をお話ししました。だし汁さえあれば、あとは自由自在、さまざまなバリエーションが楽しめます。いくつか見ていきましょう。

・私の一押しなめこのみそ汁（４人分）

材料：だし汁６００ｍｌ（３カップ）　みそ大さじ２〜３　豆腐１／３丁　なめこ１／２パック　みつば少々

作り方：だしをあたためて、適当に切った豆腐、なめこをいれてひと煮立ちさせ、火を弱めたらみそを溶かす。最後にみつばを散らして出来上がり。

・子供たちも大好きビタミンB1たっぷり豚汁（4人分）

材料：だし汁600ml（3カップ）　みそ大さじ2〜3　豚バラ薄切り肉2枚　残り物の野菜なんでも　ごま油小さじ1／2

作り方：ごま油と豚肉を鍋に入れて中弱火にかけて炒め、肉が白くなってきたら、だし汁を合わせて野菜と一緒に5分ほど煮ます。火を弱めてみそを溶き入れ、ひと混ぜしたら出来上がり。

・変わり種、冷やしトマトのみそ汁（4人分）

材料：だし汁600ml（3カップ）　みそ大さじ2〜3　トマト1個（小ぶりなら2個）　みょうが1／2個

作り方：トマトは8等分のくし形、みょうがは小口切りか薄切りにし、だし汁をあたため、火を弱めてみそを溶き入れます。その後トマトを入れ、火を止め、室温まで冷ましてから冷蔵庫で冷やし、最後にみょうがをのせて出来上がり。

これなら、暑い夏でもすっきり食べられますよ。

これ以外にも、特別な日にはカニや白子を入れればあっという間に高級感たっぷりのお汁になります。またオクラと納豆のみそ汁、レタスのみそ汁、キャベツと卵のみそ汁、キャベツとソーセージと黒コショウのみそ汁など、ありとあらゆるバリエーションが可能です。

ぜひ、毎日の生活にみそ汁を添えてください。

2 梅干し

●鎮痛、静菌、抗菌、食欲増進、新陳代謝……梅干しは万能薬だ

塩の問題が解決したので、日本の伝統的おかずの一つ、「梅干し」についても一言触れておきます。この梅干しも「塩」だけで近年本当に嫌われてきました。

しかし実は梅干しにはすごいパワーがあります。

例えば徳川時代の『雑兵物語』における兵士心得にはこのような一文があります。

「命ある限り梅干し1個を大切にせよ」

日本を300年近く治めた徳川家は、なぜこれほど梅干しを珍重したので

しょうか？

実はその答えが、現在の科学により証明されてきました。

梅干し研究の第一人者、和歌山県立医科大学准教授、宇都宮洋才《うつのみやひろとし》先生の研究によれば、これまでの梅干しに関する古い言い伝えはほとんど真実だといいます。

例えば、「こめかみに梅干しを貼ると頭痛が治る」、これは梅干しの香り成分「ベンズアルデヒド」の鎮痛効果によるもので、これは、こめかみに貼らなくても、香りをかぐだけで、同様の効果が認められるそうです。

「梅干しを入れておくとご飯が腐りにくくなる」、これは、梅干しの静菌作用によるものです。その働きの中心は、梅干しの酸味の主成分であるクエン酸です。クエン酸には細菌をおさえ込む強力な作用があるのです。先に挙げたベンズアルデヒドにも静菌作用があり、併せて抗菌効果を発揮します。

なお、クエン酸はエネルギー産出をスムーズに行なわせるために必要な物質でもあります。クエン酸がなければ、体内のアルカリ化が行なわれず、筋肉内疲労物質である乳酸分解不全による疲労悪化などが起こります。つまりクエン酸は、私たちの体から疲れを取り去り、活力とエネルギーを与える物質なのです。さらにクエン酸は、カルシウム吸収促進、唾液分泌、食欲増進、新陳代謝、殺菌作用、抗アレルギー作用なども持ち合わせています。
また梅干しの酸味は胃酸の代わりになり、消化を助けることができます。胃がもたれる人、最近疲れ気味の人は、積極的にお米と梅干しを摂取してみるとよいかもしれません。

少し珍しい言い伝えで「梅干しを入れたお茶でうがいすると、風邪をひかない」というのを聞いたことはありませんか？　実はこれも真実なのです。梅のポリフェノールに含まれる「エポキシリオニレシノール」という物質が、インフルエンザの増殖を抑える力を持つことがわかったのです。さらに凄いことに、これは従来のインフルエンザだけではなく、新型のインフルエンザの増殖も抑制することができました。

このように、これまでいわれてきた梅干しの言い伝えには、科学的根拠があったわけです。

以上を考えれば、徳川家の「命ある限り梅干し1個を大切にせよ」の凄さが改めてわかります。

痛みを取り、疲れを取り、感染症を予防し、そして貴重な戦備食を腐らせない梅干しも、みそ汁同様日本が誇る素晴らしい食べ物なのです。

●梅干しが生活習慣病を予防する

さらに近年、梅干しの凄さが次々と発表されています。その中でも素晴らしいのが、高血圧、糖尿病、高脂血症という生活習慣病を抑制し、それに伴う動脈硬化からくる脳梗塞、心筋梗塞を予防できることです。

血管収縮作用のあるホルモン、アンジオテンシンⅡの働きを抑制することによる血圧上昇抑制作用、血糖値上昇抑制作用を持つ梅ポリフェノール成分

「オレアノール酸」による糖尿病予防効果、エネルギー代謝亢進作用並びに中性脂肪増加抑制作用を持ったたんぱく質「レプチン」による高脂血症予防、肥満体質改善効果など、素晴らしい成分が非常に多く含まれています。

２０１０年、全国の梅生産量の２割を占める和歌山県田辺《たなべ》市で行なわれた「梅干しを食べようプロジェクト」では20代から70代までの、このプロジェクトに参加した男女１２５名に毎日２個ずつ、50日間にわたって梅干しを食べてもらった結果、参加者のなんと7割が、「体重がへった」と回答し、体脂肪、腹囲も減少していたのです。

このように、梅干しは現在日本人が抱える健康問題の多くを解決してくれる可能性を持つ食べ物です。

かつては、日本のどこの家庭にも梅干しの小さなツボが置かれていて、ご飯のおかずやお茶うけに食べられていましたが、今や、食卓でそのツボを見ることは非常に少なくなりました。また美味しいものに慣れてしまった現在では、あの酸っぱさを敬遠する人たちも多くなっています。

実際、わが子が通う小学校では1クラス30人位で、梅干しが出された場合、必ず10個近くが食べられずに廃棄されるそうです。

よってここでは、この梅を、今の若者でも簡単に、楽しく、美味しく食べられるレシピをいくつかご紹介します。

●梅の魅力もぜひ堪能する

・めんたいこスパゲッティ（4人分）

材料：スパゲッティ400g　塩大さじ2　バター80g　めんたいこ（あまり安くないもの）1腹　梅干し2個　パセリ少々

作り方：

①バターは室温にもどして柔らかくし、ボウルに入れて木じゃくしでクリーム状に練る。

②めんたいこは薄皮に縦に切れ目を入れ、身をしごき出す。

③①と②を混ぜ、ソースを作る（めんたいこバター）。
④梅干しは種を除き粗みじんに刻み、パセリはみじん切りにする。
⑤スパゲッティは塩を加えたたっぷりの熱湯で好みの硬さにゆで、水けをよく切って、器に盛る。
⑥③のソースをかけ、④の梅干しとパセリを散らし、混ぜて食べる。

・のりと梅干しの吸い物（4人分）
材料：焼きのり2枚　梅干し1個　みつばの茎1／2束分　だし汁1リットル（5カップ）　＊【うす口醤油、塩各小さじ1】
作り方：
①焼きのりは大きめにちぎる。
②梅干しは種をとり除き、かるく包丁でたたき、4等分にする。
③みつばの茎は2センチの長さに切る。
④だし汁を煮立て、＊で調味する。

⑤椀に焼きのりとみつばを入れ、④の熱い汁を注ぐ。
⑥梅干しをのりの上にのせ、あつあつをいただく。

●梅肉使用レシピ

梅肉の作り方～梅干しの種を除いて、皮と果肉をみじん切りにしたもの。この際梅干しの色とにおいが付かないように、まな板はラップで包み、包丁はさびないステンレスを使用するとよい。

・いかの納豆和え（4人分）
材料：いかのさしみ200g　ひき割り納豆80g　酒大さじ1／2　あさつき4本　＊【梅肉小さじ1、ポン酢小さじ1、醤油大さじ1と1／2、だし汁・しょうが絞り汁各大さじ1】
作り方：

①ひき割り納豆に酒を混ぜる。
②あさつきは小口切りにする。
③＊の材料を合わせ、よく混ぜる。
④いかと納豆を軽く和え、器に盛る。
⑤あさつきのみじん切りを振りかけ、③を好みの量だけかけて食べる。

・なすの即席漬け（4人分）
材料：なす4本（400g）　塩小さじ1弱　梅肉大さじ1／2　砂糖小さじ1／4
作り方：
①なすはへたを落とし、薄い小口切りにしてボウルに入れる。塩を振って優しくもみ、水っぽくなってきたら水けを切る。
②梅肉と砂糖をよく混ぜ合わせ、①に加え、全体を軽く混ぜる。
③皿1枚程度の軽いおもしをし、5～6時間おいて味をなじませる。

・レンコンの梅和え（4～5人分）

材料：レンコン1節（250g）　梅肉2個分　みりん小さじ2　酢、塩少々

作り方：

①レンコンは皮をむいて薄い半月切りにし、酢水に10分ほどさらす。

②塩を加えた熱湯でさっとゆで、ざるに上げる。

③ボウルに梅肉、みりんを合わせて、①を加えて和える。

●梅がつお使用レシピ

梅がつおは、梅肉に削り節と醬油を混ぜて作る。梅肉150gに対して削り節15～20g、醬油大さじ1の割合が適当。よく混ぜ合わせてから使う。

・梅がつおうどん（3人分）
材料：ゆでうどん3玉　青ジソ10枚　梅がつお大さじ2
作り方：
①青ジソはせん切りにし、たっぷりの水に放しておく。
②鍋にたっぷりの熱湯を沸かし、うどんを入れる。
③あたたまったらざるに上げて水けを切り、ボウルに入れる。
④梅がつおを③に加えて均等に混ぜ、器に盛る。
⑤水けを切った青ジソを天盛りにし、あつあつの状態を食べる。

・梅がつおおにぎり（おにぎり3個分）
材料：ご飯270g　梅がつお75g
作り方：
①材料を合わせ味が均等になるようにする。
②「美味しくな～れ、美味しくな～れ」と祈りを込めながら三角に握る。

●その他：梅干しを薬として使う方法

・アルコール対策

焼酎のお湯割りや炭酸割りを飲むときは、梅干し1個を入れることをお勧めします。梅干しを入れると焼酎の味わいが深くなり、また悪酔いしにくくなります。味わいが深くなるのは、梅干しの塩と酸が焼酎独特のにおいをやわらげるためです。悪酔いしないのは、クエン酸が全身の新陳代謝を促進し、アルコールをすみやかに分解して排泄を早めるためです。

この知識は、二日酔いにも利用できます。二日酔いで気分が悪いとき、梅干し入りのお茶がとてもよく効きます。二日酔いで酸性になったからだをアルカリ性の梅干しが中和することで体調がよくなると考えられています。

・風邪による熱や咳に

風邪で熱や咳があるときは梅干し入り生姜湯をお勧めします。梅干しの果肉と生姜のスライスを湯飲みに入れ、熱湯を注いで飲みます。梅干しの解熱作用に生姜の発汗作用、咳止め作用で症状が軽くなります。これを飲んで一晩寝れば、朝にはすっきりとした目覚めが待っていることでしょう。

このように、梅干しも、各種の料理として、またお薬として利用することができます。日本独特の食材を有効活用しましょう。

3 卵かけごはん

●「卵=コレステロール値を上げる」はウソ

湯気の立つご飯に卵をかけ醤油をたらしかき混ぜた黄金色に輝く卵かけごはん、これほど美しく美味しいご飯があるでしょうか。そしてこの卵かけごはん、ただ美味しいだけではありません。栄養的にも、大変素晴らしい食べ物なのです。

それにもかかわらず、この卵もみそ汁と同じように「でもあんまり食べないほうがいいですよね?」と聞かれてしまいます。それは、「卵はコレステロール値を上昇させる」という理由からです。

では、この「卵=コレステロール値上昇」は本当なのでしょうか?

この問いに対して調べていくと面白いことがわかりました。

「卵＝コレステロール値上昇」はなんと今から約100年前、ロシアで行なわれたウサギの実験がもとになっていたのです。それはウサギに卵を食べさせるとコレステロール値が上昇し動脈硬化が発症したというものです。

しかし、この実験には大きな問題があります。それは「ウサギは草食動物である」という点です。植物にはコレステロールがほとんど含まれていませんから、草食動物はその少量の大切なコレステロールのすべてを体内に蓄積する性質があります。つまり草食動物に卵を食べさせれば、コレステロールをすべて蓄積し、高コレステロール血症となり、その結果動脈硬化という道をたどるのは当然の図式なのです。

この実験は、本来卵を食べないウサギに卵を食べさせているというスタートがそもそもおかしいのです。

同じ実験を肉食である犬で行なった場合、コレステロール値上昇や動脈硬化発症は認められませんでした。

つまり「卵はコレステロール値を上昇させ動脈硬化を引き起こす」という論理は、100年前のずさんな実験結果が今でも息づいているからなのです。

そしてこれが誤りであることは、最近次々と報告されています。

・米国ミズーリ大学：

100人以上の人に、卵を毎日2個食べ続けてもらい3ヶ月後に検査

コレステロールの値に変化なし

・フレーミングハム調査：

1000人の卵消費量と循環器疾患の関係調査

週に0～24個食べる人たちの間に卵の消費量と循環器疾患において全く相関なし

・ヘルス・プロフェッショナル・フォローアップ・スタディ（男性5万人参加の前向き研究）および米国ナース・ヘルス研究（12万人参加）の14年以上にわたる研究：

卵の消費量とコレステロール値、循環器疾患において相関なし
卵は常識的な量を食べている限りコレステロール値を急激に上昇させることはありません。つまり「卵＝コレステロール値を上昇させるからよくない」という関係式は否定されたのです。

●卵、すごいぞ!!

では、安心したところで、改めてこの黄金に輝く卵の凄さを見ていきましょう。

「卵は栄養の塊」という言葉を聞いたことはありませんか?

実は卵には、私たちのからだに必要なたんぱく質のすべてである20種類のアミノ酸が含まれています。特に素晴らしいのが必須アミノ酸、つまりからだの中では作れず外部から摂取しなければならないイソロイシン、ロイシン、リジン、メチオニン、フェニールアラニン、スレオニン、トリプトファ

ン、バリン、ヒスチジンの9種類すべてを豊富に含んでいる点です。この点が評価され、アミノ酸スコアでは母乳の100点と並び、卵も100点です。

もう一つ、卵の非常に優れた点はレシチンを豊富に含むということです。レシチンはからだの各器官から脳へと情報伝達する働きとも深く関わり、神経伝達物質アセチルコリンの原料となる重要な物質です。さらに細胞膜の50%、脳細胞の40%、血管の90%を構成するリン脂質といわれる物質を作るためにも必要です。レシチンが不足すると、細胞は自らをうまく再生できなくなるため、免疫力が低下し、疲労やストレスを感じやすくなります。またレシチン不足は脳の血管に疲労物質を溜め、精神疾患、認知症などにも陥《おちい》りやすい状態を作ります。

つまり、卵は脳にも体すべての細胞にとっても必要な栄養素なのです。

その他、血液サラサラ作用（乳化作用により血管壁についた酸化LDLを溶解し肝臓へ戻す）、豊富なビタミン群（特にB2）、黄身に含まれるカロチノイドによる抗酸化作用（普段は酸化からひよこを守る役割を果たしている）などは、「卵は栄養の塊」という言葉を裏付けています。

お米を主食とする民族はあまたあれど、「卵かけごはん」を食べるのは日本人だけといわれます。このお手軽だけど美味しく、そして栄養素にあふれた最高の食べ物、「卵かけごはん」、炊きたてごはん、新鮮たまご、醤油、そして日本人の誇りとともに楽しんでいただければと思います。

ただし、乳幼児期の3大アレルゲン（アレルギーの原因となる物質）といわれるものが「牛乳、卵、大豆」ですので、アレルギー体質のお子さんには注意して与えてください。

また、ケーキやお菓子、肉や揚げ物など、高たんぱく・高脂肪食品を摂っている人は、この時点ですでに高カロリーですから、これに卵をたくさん食べれば過剰摂取になります。

卵を勧めるのは、あくまでも「和食中心」に食事をしている人です。

●朝昼晩にＴＫＧ

卵かけごはんのバリエーションは無限にあります。『３６５日たまごかけごはんの本』（T.K.G.プロジェクト著　読売連合広告社）を参考に見ていきましょう。

なおこの本では卵かけごはんを「Tamago Kake Gohan　通称Ｔ・Ｋ・Ｇ」と表現しています。

さて、卵かけごはんの基本といえば当然、「ご飯、卵、醬油」の組み合わせ。この基本形の醬油を少し変えてみましょう。天然塩、ケチャップ、ウスターソース、ポン酢、ＢＢＱソースなどの使用で、醬油と違った味わいで美味しくいただけます。

調味料でも変化が楽しめます。基本形に山椒、黒コショウ、七味、好みのふりかけなどを軽く加えるだけで趣《おもむき》が異なったＴＫＧに変身です。またトッピングにより、いくらでも健康に、また豪華にすることができます。

朝は、まだ動いていない消化器官がしっかりと活動できるように、野菜を多く摂るＴＫＧがお勧めです。キャベツの千切りにソース、ケチャップを足した「キャベツＴＫＧ」、アボカドにチーズとマヨネーズ、かつおぶしと醤油を加えた「アボがつおＴＫＧ」、めかぶ、山芋の千切り、納豆を加えて麺つゆで味付けした「ネバトロＴＫＧ」などはどうでしょうか。

昼のＴＫＧは、朝とは違い、午後もしっかり働けるようにエネルギーを注入しなければなりませんから、少したんぱく質を加えていきましょう。

シラスに豆腐、桜えびを加えた「カルシウムＴＫＧ」はどうですか？　これ以外にも、納豆にバター（嫌でなければココナッツオイル）を加えた「バター納豆ＴＫＧ」、マグロとアボカドをドレッシングであえてベビーリーフ、ペッパーを散らした「マグロのカルパッチョＴＫＧ」、納豆とカレーを合わせた「納豆カレーＴＫＧ」など、組み合わせは無限大です。

夜用に贅沢《ぜいたく》なＴＫＧだってできます。カニ缶にネギ、醬油、マヨネーズを足した「カニコニコＴＫＧ」はどうですか？　これ以外にも、かつおぶし、青のり、ゴマ、刻みのり、刻み昆布、刻みネギ、青ジソ、ちりめんじゃこをのせた「日本人でよかったＴＫＧ」、イカの刺身にネギとおろし生姜を加えた「イカス親父のＴＫＧ」など、いろいろな味が楽しめます。

私のとっておきの一品は、いくらや、うに、マグロやタイなど自分の大好きな刺身をのせた「ほとんど海鮮丼ＴＫＧ」です。「ＴＫＧ」は本当に楽しいですね。

また、卵もいろいろ変化させることができます。お勧めは黄身の醤油漬けとみそ漬けです。作り方は簡単。アルミカップ、または小さなガラスの器に卵黄を入れ、醤油なら卵黄と同量、みそなら卵黄を包み込む程度入れ、冷蔵庫に一晩漬け込みます。これにより黄身そのものが深い味わいを持ち、その卵を使ったＴＫＧは全く違った食べ物になります。

このように、ＴＫＧも朝から夜までいつでも楽しめる料理です。ぜひ、楽しんでみてください。

4 納豆

●発酵食品としての素晴らしさ

これまで、ご飯の最高のおかずとして、みそ汁、梅干し、卵かけごはんのお話をしてきました。

いよいよ真打「納豆」です。私の知る限り、納豆を超える食べ物は存在しません。世界一素晴らしい納豆の実力を、ぜひ一緒に見てください。

納豆がなぜ素晴らしいのか、まずは善玉菌たっぷりの発酵食品である点が挙げられます。発酵食品とは簡単にいえば、微生物を使って食品を変化させるものです。味噌は大豆を麴菌で、納豆は大豆を納豆菌で変化させています。そしてこの変化により、良い微生物、つまり「善玉菌」がたっぷり入った腸内改善食品に生まれ変わります。

腸とは小腸と大腸の総称です。全長約9m、広げるとテニスコート1面の面積ほどになる、からだで最も大きな器官です。そして、この腸内には、腸内細菌（※）と呼ばれる菌が住みついています。この菌は「善玉菌」「悪玉菌」「日和見菌（良いことも悪いこともしない菌群）」という3種類が存在し、ごく簡単にいってしまえば、善玉菌が増えれば腸の状態は良くなり、悪玉菌が増えれば腸の状態は悪くなっていきます。

※腸内細菌：腸管内に暮らす細菌群の総称。種類にすると200～300種、総数100兆個、総重量は1・5kgにもなる。

そして、この善玉菌こそ、納豆やみそ、醤油などを発酵させる菌であり、それがたっぷり入った食品を食べることこそ、体内で善玉菌を増やす一番簡単な方法なのです。では次に善玉菌がたっぷり入った食べ物を食べることでどのような良いことが起こるのかを少し詳しく見ていきましょう。

●善玉菌の働き

①栄養成分の吸収、排泄の改善

腸の働きは何と言っても「食べ物の消化、吸収」です。栄養分を腸で消化、吸収することで初めて人間が生きていく上でのエネルギーを得ることになります。つまり腸こそ、人間が生きるための最も大切な「根っこ」なのです。

根っこの働きである栄養分の吸収を促進するのが「善玉菌」です。善玉菌は腸が最も能力を発揮できるように腸管内を良い状態に保ち、さらに消化を助ける消化酵素やビタミン、ホルモンの産生にも関わります。

さらに「善玉菌」は排泄にも関わり、便秘解消作用も持っています。

以上のように、善玉菌は腸本来の働きである栄養の消化、吸収、及び老廃物の排泄に最も関わっている細菌なのです。

②酵素、ビタミンを作る

酵素やビタミン・ミネラルの大切さについて前述しましたが、これらの一部は、実は体内でも作られています。「代謝酵素」、「消化酵素」、「ビタミン類（ビタミンＢ1，Ｂ2，Ｂ6，Ｅ，Ｋなど）」は善玉菌によって作られます。つまり、私たちのからだにとって善玉菌は、「体内」の酵素、ビタミン維持のために必要不可欠なのです。

③免疫機能を改善させる

「免疫」を改善するのも善玉菌です。

免疫とは、自分のからだを守る軍隊のことです。私たちが簡単に風邪をひかないのも、仮に罹患しても肺炎などになることなく治癒するのも免疫細胞のおかげです。

さて、この私たちのからだを守る免疫細胞ですが、実は、その多く（約60％）が小腸に存在しています。言い方を換えるなら、腸内は体内における免疫の最大基地なのです。

なぜ、免疫細胞の多くが腸管に集まっているのでしょうか？　その理由は腸こそがからだにとって最も危険な場所だからです。

考えてみてください。腸内には毎日毎日、外から食べ物が大量に入ってきます。この中には細菌、ウイルス、寄生虫、カビなどさまざまな異物が含まれています。これを体内に入れてしまえば、血液に乗ってダイレクトにからだ全体に散布されるので、命の危険すらあります。その危険な異物を水際で阻止するために、腸管には前線基地として多くの免疫細胞が配置されているのです。

この免疫前線基地において善玉菌が多いということは、消化、吸収、排泄がスムーズになり、さらにビタミン、酵素などがたくさん作られるということです。そしてからだ全体の栄養状態は改善、代謝等も活発に行なわれるため、体内の戦士である免疫細胞も活動しやすくなります。また豊富な栄養素により、免疫細胞も多く供給されます。

これに対して悪玉菌が多くなれば、栄養供給低下が起こり、基地内（腸内）の環境悪化によって戦士（免疫細胞）の数と質が低下します。

このように、腸内環境の良し悪しが、直接からだの免疫機能の良し悪しに繋がり、それを左右するのが善玉菌なのです。

つまり善玉菌を増やすことは、うがい、手洗いに負けない、風邪予防対策なのです。

④心を改善させる

善玉菌は、心も改善してくれます。

近年、脳科学の分野の発達は著しく、脳内にあるとみられている百数十種類の神経伝達物質のうち60種類程度が発見されています。

そして、その60種類の中でも特に注目されているのが「セロトニン」という神経伝達物質です。これは、脳内に「安らぎと幸せ」を与え「感情を調整し穏やかにしてくれる」伝達物質で、セロトニンが不足すると「安らぎと幸せ」を感じにくくなることがわかっています。実際、うつ病の治療薬として世界で最も処方される薬がこのセロトニンを増やすための薬です。

また、セロトニンの不足は不眠も引き起こします。セロトニンは代謝の過程で、睡眠を誘発するメラトニンという物質を作り出します。セロトニンが不足すれば、睡眠誘発作用を持つメラトニンも当然不足しますから、人は眠りに陥りにくくなっていくのです。

以上をまとめると、セロトニンとは感情を安定化し、安らぎと幸せを感じさせ、そしてぐっすりと眠らせてくれる心の安定に必要不可欠な物質ということになります。

では、このセロトニンは善玉菌とどういう関係があるのでしょうか？

実はセロトニンの90％以上は小腸の粘膜にあるクロム親和性細胞で作られます。

腸の状態によって、体内のセロトニンの量が左右されるということはつまり、腸管環境を整える善玉菌が、セロトニンの量を決めていると言い換えることができるのです。

なお、本によっては、腸管で作られたセロトニンは大きすぎて脳内に移行できないと書かれているものもあります。たしかに、脳は血液脳関門という、脳を異物からガードするシステムにより、セロトニンそのものを移入することはできません。しかし、善玉菌により、セロトニンの材料であるトリプトファン（必須アミノ酸）からセロトニンの前駆体である5－ヒドロキシトリプトファン（5－HTP）に代えたものは、脳に送ることが出来ます。つまり、セロトニンの材料を作り出すのが、腸管内善玉菌ですから、脳内のセロトニンの量を決めるのは、腸内環境を整える善玉菌といっても差し支えないと考えています。

このように、「消化、排泄の改善」「酵素、ビタミンの生成」「免疫力の改善」「心の安定」を行なうのが、発酵食品の摂取によって増える善玉菌です。日本には納豆だけでなく多くの発酵食品があり、その種類の豊富さは世界一といわれています。

日本は高温多湿のため、ものが腐りやすい環境です。長期保存する知恵として微生物の発育に最適な環境を作り、古くから発酵食品の利用が盛んだったのです。

前述したみそ、醤油をはじめ、お酢などの調味料はすべて発酵食品です。

また食べ物でいえば、ここで取り上げる納豆、ぬか漬けを代表とする漬物、甘酒、鮒《ふな》ずしなども発酵食品として挙げられます。

意外なものでは、世界一硬い（ギネスに登録されています）かつおぶしもカビを利用した発酵食品です。普段嫌われるカビをこのように利用する日本人の知恵と伝統に心から敬意を表します。

以上のように、納豆をはじめとして、みそや醤油、ぬか漬けなどの発酵食品（善玉菌）は、健康にとって必要不可欠な食べ物であるということです。

ちなみに、腸内の善玉菌を増やすためには、発酵食品を直接摂る方法以外に善玉菌の好物を摂取するという方法もあります。

善玉菌の好物とはこんにゃくのグルコマンナン、野菜や穀物に含まれるセルロース、りんご、みかんに代表されるペクチン、海藻のアルギン酸などの「食物繊維」と野菜や果物に含まれる甘み成分の「オリゴ糖」などです。

つまり善玉菌は野菜や海藻、果物が大好きだということです。ぜひ、発酵食品とともに、これらの食べ物を積極的に食べるようにしてください。

●納豆は薬を超えた食品だ

発酵食品として代表的な納豆の素晴らしさはまだまだ序の口、その凄さはこれからです。

①天然の胃薬

日本人は非常に胃腸が弱い民族です。遣隋使の頃から中国の影響を強く受けているにもかかわらず、食事に関しては大きく異なります。これは中華料理の油に胃が耐えられなかったためだと考えられており、そのために、繊細な「だし」という食習慣が生み出されたといわれています。アメリカ人と比べても、消化酵素の量は半分以下だといわれています。

そのような民族差があるにもかかわらず、近年の食生活は肉食、そして油を中心とした欧米風になっています。これにより日本人の胃は非常に負担を感じているようです。日本人の胃薬内服率は世界でもトップクラスとなっています。

この不快な症状を解決するのが「消化酵素」たっぷりの納豆です。

みそ汁のところで大豆の素晴らしさはお話ししましたが、「納豆」は栄養豊富な「大豆」を、納豆菌（※）で分解し、発酵させる過程において発生した消化酵素が加わったものです。

消化酵素の働きは、たんぱく質をアミノ酸に分解する「プロテアーゼ」、でんぷん質をブドウ糖に変える「アミラーゼ」、中性脂肪をグリセリンと脂肪酸に分解する「リパーゼ」、繊維質を糖質に分解する「セルラーゼ」などで、納豆菌はこの消化酵素を自ら作り出し、大豆を分解、発酵させます。つまりこの「消化酵素」が胃内において「天然胃薬」として作用するわけです。

②天然抗生剤

昭和11年、農学者有働繁三博士によって納豆から「ジピコリン酸」という物質が発見されました。これは納豆菌が生産する物質で、大腸菌をはじめ腸内の悪玉菌に対する幅広い抗菌スペクトルを持っています。つまり納豆は「天然の抗生物質」なのです。さらに凄いのが、納豆菌が抗菌作用を示すのは、主に人間にとって危険な菌に対してだけで、不思議なことに乳酸菌など有用な菌に対しては反対に増殖させるように働くということです。つまり腸内環境を良くすることはあっても悪くすることは一切ないのです。

最近では、ジピコリン酸は放射能除去物質・制がん物質としても注目されており、東日本大震災の放射線の不安を取り除いてくれる食べ物としても注目されています。

③ビタミンK２による働き

納豆にはさまざまなビタミンが含まれています。その中でもビタミンK２

をこれほど大量に作ることができるのは世界の食品の中でも納豆だけです。

ビタミンK2は本来、腸内細菌が作り出すビタミンですが、同じ微生物である味噌・醤油の麴菌、チーズやヨーグルトの乳酸菌はほとんどK2を作りません。K2を食品から摂りたいときは納豆を食べるしかないのです。

では、ビタミンK2は具体的にどのような働きをするのでしょうか。

●骨粗鬆症・骨折予防薬

K2は、カルシウムを骨に結合する際の糊の役割をするオステオカルシンを作る物質として、今、注目を集めています。

骨粗鬆症《こつそしょう》を防ぐためにカルシウムやビタミンDなどをたくさん摂る人がいますが、ビタミンK2も一緒に食べないと骨は太くなりません。実際の調査でも、女性の骨粗鬆症に伴う大腿骨頸部骨折は、ビタミンK2の濃度が上がるほど少なくなるという結果が出ています（実際、納豆を日本一食べる茨城県は大腿骨骨折が日本で一番少なく、納豆を日本一食べない和歌山県の大腿骨骨折が日本で一番多くなっています)。

●動脈硬化予防作用

ビタミンK２には、血管の過剰な石灰化を抑制することによる動脈硬化予防作用があるので、動脈硬化に伴う心筋梗塞や脳梗塞などの予防に効果的です。

●がん予防作用

ドイツの研究報告に、ビタミンK２の摂取量によりがんの抑制効果があったというものがあります。

また、金沢大学の亀田幸枝《かめだゆきえ》氏も、がんのマウスに納豆を食べさせたところ、腫瘍直径が半分以下になったと報告しています。

ちなみにビタミンK2の量は大豆49μg、納豆600μgに対してひき割り納豆は930μgです。大豆を砕くことで、大豆が発酵しやすくなるので、それに伴って発生するビタミン等が増えていくためです。同じ納豆ならひき割り納豆がベストです。

④認知症予防薬

認知症予防のキーになるのが卵の節でも出てきた「レシチン」です。これは納豆にも多く含まれています。レシチン含有食材は「健脳食」といわれ、記憶力の向上に大変有効であることはお話ししました。特に大豆レシチンはその主成分の一つ、ホスファチジルコリンが脳内でアセチルコリン（脳の記憶力形成、維持に大きくかかわる神経伝達物質）に変化しやすいため、記憶力がアップすると考えられます。

西ドイツのダルムシュタット工科大学のゾルガッツ氏も、レシチンの摂取量によって短期記憶や未知の情報に対する学習能力に明らかな差が表われたと報告しています。

納豆と天才に関してはこのような報告もあります。

アメリカには飛び級制度があり、頭脳に応じて、10代でも大学カリキュラムを修めることができます。そのアメリカにおいて、1994年、わずか10歳4ヵ月という世界最年少で南アラバマ大学を卒業した超天才児が現われました。日本人を母にアメリカ人を父に持つ天才少年マイケル・カーニー君（日系3世）です。IQは軽く200を超え、生後4ヵ月でしゃべり始め、8ヵ月には文字を読み始めたといいます。

そのマイケル君のご両親が書かれた『天才マイケル　育児の秘密』（ケビン・ジェイムス・カーニー、キャシディー・ユミコ・カーニー著　読売新聞社）にはマイケル君の成長や子育て方法が載っているのですが、その中で、特筆すべきことが書かれていました。

それは、マイケル君の大好物は、「納豆」だということです。

マイケル君のお母さんは、日本人の母とアイルランド系アメリカ人の父を持つハーフで、幼いころから日本食を食べて育ちました。特に妊娠中は、ハムやピーナツバターのサンドイッチなどが口に合わず、納豆などの和食を好んで食べていたそうです。そしてその母から生まれたマイケル君も、納豆大好きっこで幼少期のころから毎日納豆を食べて育ちました。いうなれば、胎児のころから「納豆漬け」で育ったのが、天才児マイケル君なのです。

日本でも少し前ですが東大出身の女性タレントが「私が東大に入れたのは毎日納豆を食べたから」といっていました。

子供を天才にするために、自分の能力を高めるために、そして将来認知症にならないためにぜひ「毎日納豆習慣」を作りましょう!!

⑤血液サラサラ薬（血栓予防薬）

納豆の凄さの最後を飾るのが血液サラサラ薬「ナットウキナーゼ」です。これは1980年、須見洋行《すみひろゆき》博士により発見された物質です。血液が詰まって発症する心筋梗塞や脳硬塞の患者さんに、救急病院で使われる治療薬「ウロキナーゼ」とほぼ同等の力があるとされています。

ちなみに、救急で運ばれてくる場合、量にもよりますが、ウロキナーゼの値段だけで1回数万円かかります。これに対して、ナットウキナーゼで同じ効果を出そうとすると、納豆を100g（百数十円程度）食べればよい計算になるそうです。しかも「ウロキナーゼ」が30分程度の効果しかないのに対してナットウキナーゼなら8時間も効果が持続可能です。

このことから、納豆は日本の3大死因である心筋梗塞と脳卒中、また現在大きな問題になっている認知症（認知症の60％は血が詰まって発症する血栓症と考えられている）を予防できる可能性があると考えられます。

その他ナットウキナーゼには、朝鮮人参に匹敵するほどの強壮作用（カリクレインによる精子活性作用）があることもわかっています。つまり納豆は精力剤でもあるのです。

納豆はまさに薬を超えた食べ物です。ぜひ、自分のために、家族のために納豆という薬を処方してください。

納豆の健康効果をより生かす食べ方

健康効果をより生かす食べ方の前に、より美味しく食べる方法を検証してみましょう。

日本で最も有名な美食家「魯山人《ろさんじん》」は納豆の食べ方を「魯山人納豆」と称してこう記しています。

①納豆は小粒、向う付けと言われる深い器を用いる。

②何も加えず305回かき回す。

③醤油を入れてさらに119回、合計424回かき回す（醤油は2〜3回に分けて入れる）。

④ネギと和ガラシを入れて出来上がり。

つまり納豆を食べるときは、とにかくよくかき回しなさいということです。

なぜ混ぜると美味しくなるのでしょうか?

それは納豆のうまみ成分であるアミノ酸と甘味成分であるグルタミン酸はネバネバ成分に含まれており、これはよくかき混ぜるほど増えていくからです。ぜひ、美味しい納豆のために、しっかりとかき混ぜてほしいと思っています。

ではいよいよ納豆の健康効果を最も高める食べ方を考えていきます。

まず納豆は朝より夜に食べるほうがより良いでしょう。なぜなら血管を詰まらせる血栓は、明け方にできやすく、心筋梗塞などの発作が起こるのも朝が最も多いのです。納豆の血栓溶解作用は食べてから数時間持続しますから、夜に納豆を食べていれば、朝にできた血栓を効果的に溶かすことができるというわけです。

また、脳梗塞や心筋梗塞は世界的な統計で月曜日の朝に起こることが多いのですが、これは日曜日の夜に「明日からまた仕事が始まる」と考えたそのストレスから翌朝発作が起きてしまうということかもしれません。ですから特に日曜日の夜は、納豆を食べるようにしてください。

量はナットウキナーゼで考えるならだいたい30～50gで十分です。これは小さな納豆のパック2／3から1個くらいの量です。納豆の血栓溶解作用は持続力があるので1日1回食べれば十分です。そして前述したとおり、できれば小粒よりもひき割り納豆がよいでしょう。

また魯山人が勧めたネギを入れるのもお勧めです。ネギ類には血小板の凝集阻害の働きがあり、血液を固まりにくくさせる成分が入っています。納豆とネギというのは、最強の血液サラサラコンビなのです。

ただ、もちろん朝食べても、ネギを入れなくても、かき混ぜなくても、小粒でも納豆は素晴らしい食材であることには変わりはありません。毎日の生活に上手に組み合わせて自分のペースや味覚に合うようにアレンジしてください。

●自由自在の納豆料理

納豆はいくらでもバリエーションがあります。『365日たまごかけごはんの本』の姉妹書である『365日なっとう納豆ナットウの本』(N.A.T.

シンジケート著　読売連合広告社）の本を参考にしながらご紹介しましょう。

納豆もＴＫＧ（Tamago Kake Gohan）同様たれや薬味、トッピングを変えればいくらでも新しい味が楽しめます。ぜひ、自分好みの味を探してみてください。

納豆は、ＴＫＧと異なり、いかに他の食材を美味しく、健康的に変化させていくのかという視点から考えていきましょう。

まず、この本で取り上げられている、納豆家食ベスト10をご紹介したいと思います。

1位：納豆巻き
2位：納豆みそ汁（具だくさんみそ汁に納豆を加えただけ）
3位：納豆チャーハン
4位：納豆そば、うどん
5位：納豆オムライス

6位：納豆スパゲッティ
7位：イカ納豆
8位：納豆天ぷら
9位：マグロ納豆
10位：納豆カレー

どれも簡単にできて美味しそうですよね。

でも、私が納豆を本当に素晴らしいと思うのは、どんな食べ物とでも合わせることができ、しかもあっという間に「健康食品」に変えることができる点です。

例えば、皆さんがよく利用するコンビニの食べ物を考えてみましょう。

肉まんなら、真ん中に切れ目を入れて納豆をはさめば、あっという間に「肉まん納豆バーガー」になります（ちょっと無理がありますか?）。またチンしたスパゲッティボンゴレに納豆（乾燥納豆がお勧め）を混ぜて「ビアンコ納豆スパ」はどうでしょう。

これ以外にも、冷麺に納豆を混ぜて「夏（納）父（豆）ちゃん頑張る冷麺」、チゲうどんに納豆と豆腐を入れて「ウマさがちげーよ納豆うどん鍋」と、簡単にさまざまなコンビニ料理を健康料理に生まれ変わらせることができます。

また、若者がよく食べる不健康の代表格であるカップ麺でも、納豆に青ネギを入れるだけで、ビタミン、ミネラル、酵素、繊維という野菜としての役割と、たんぱく質としての肉・魚の役割を果たしてくれます。

どれぐらい健康的か数字で見てみましょう。

納豆1パック45ｇ

食物繊維3・0ｇ＝キャベツ170ｇ分
ビタミンB2　0・25ｍｇ＝卵大一個分
マグネシウム45ｍｇ＝あさり45ｇ分
鉄分1・5ｍｇ＝牛レバー38ｇ分
カルシウム41ｍｇ＝牛乳35ｍｌ分

たんぱく質7・4g＝牛肉44g分

食生活が乱れやすい学生や若者たちは、特にこの納豆を上手に利用して、健康維持に役立ててほしいと思います。

なお、この納豆、ご飯だけではなく、パンに合わせることもできます。バター（またはバジルソース）を塗った食パンに納豆、白ネギをのせて1分間トースターへ入れれば「ナットトースト」の出来上がり。ホットドックパンにウスターソースで味付けした納豆、レタス、トマトをはさみ、チリケチャップ、粒マスタードをかければ、栄養たっぷりのホットドックの完成です。

実は意外にも甘いものに合わせることもできちゃいます。イチゴ、ブルーベリー、マーマレードなどのジャムに納豆を混ぜて、サンドイッチにしても意外や意外、結構美味しいです。

これ以外にも、抹茶アイスに、よくかき混ぜてねばりけを出したひき割り納豆を混ぜて、トルコアイスのように糸を引く「日本式トルコアイス」、ホットケーキミックスにひき割り納豆、少量のココアを混ぜて焼いた「納豆ミックスホットケーキ」など、どれも楽しく、美味しく、食べることができます。

このように、ジャンクフードを一瞬で健康食に変えてもくれる納豆を、さまざまな食べ方を楽しみながら、毎日の生活に上手に取り入れましょう。

・お手軽粉末納豆

納豆は確かに素晴らしい。でも納豆のネバネバやにおいがどうしても苦手という人もいるでしょう。そんな人にお勧めなのが有限会社ハス商会から発売されている「粉末納豆」です。粉末であるため、当然ネバネバ感はゼロ、商品のラインアップも多く、納豆のにおいが苦手な人のために、においのほとんどしないスペシャル焙煎納豆も開発されています。

また、この商品は、納豆を日常食べている人にとっても大きな利点を持っています。まずは納豆菌の数が非常に多い点。なんと通常私たちが口にする納豆の700倍もの納豆菌が含まれています。

これにより、より多くの善玉菌を摂取することができます。そのほか、100％無添加であるため、赤ちゃんでも食べられますし、室温で2年間保存可能ですから、カバンに入れて持ち歩きいつでもどこでも利用することができます。

私が利用している粉末納豆は、「ハスラボ」と検索すると購入することができますが、他にもいろいろな会社から出ているので、ご自分に合ったものを検討してください。

5　ぬか漬け

●ぬかはビタミン、ミネラル、乳酸菌の宝庫

発酵食品つながりで私の大好きな、そしてわが国日本にしかないぬか漬けについても触れます。

米ぬかはビタミン、ミネラルの宝庫であることはお話ししましたが、それから作られるぬか床（米ぬかと塩を乳酸発酵させたもの）は善玉菌の宝庫です。２g程度のぬか床に15種類、２億以上もの乳酸菌が生きています。そしてこのぬか床に野菜を入れるとあっという間に超栄養食材へと変化します。例えばキュウリのぬか漬け。生と比較すると、ビタミンＢ１は5倍、Ｂ３は４・５倍にも増えます。

精米機を利用すれば、みなさんのそばにはいつでも新鮮なぬかがあります。インターネットで「ぬか漬け　作り方」と検索すれば写真入りで、丁寧に作り方を教えてくれます。ぜひ、ぬか漬けに挑戦してください。

ぬか漬け以外にも、大半の漬物は発酵食品です（梅干しやらっきょう漬けなど一部微生物の発酵を受けないものもある）。ぜひ、毎日の食事のお供にしていただきたいと思います。

もちろん、理想は自分で漬けることですが、現実は困難で、大半は購入になると思います。

その場合はできるだけ「保存料」と「着色料」は入っていないものを選ぶようにしてください。その他「酸味料」「アミノ酸」までこだわると、ほぼ全て購入対象外となりますので、これは目をつぶるしかないでしょう。

以上、ご飯を主役にして、「簡単」をテーマにしたおかず、「超簡単みそ汁」、「梅干し」、「卵かけごはん」、「納豆」、「漬物（ぬか漬け）」の素晴らしさをお話ししてきました。

ご飯は無洗米にすれば、米、水、雑穀ひとつまみ、にがり数滴を加えて炊飯器に入れてスイッチポンです。準備にかかる時間はほんの1～2分です。これにあとはみそ汁に30秒、冷蔵庫から卵、納豆、醬油を取り出して終わり。時に、ちりめんじゃこや干しエビ、海苔やサバの缶詰などを加えればもう言うことはありません。

しかも、こんなに簡単で美味しいにもかかわらず、栄養はこれまでお話ししてきたように、驚くべきものがあります。

外に便利で簡単で美味しい食べ物が満ち溢れているので、そこに気持ちは惹かれるでしょう。しかし、その繰り返しはゆっくりとあなたのからだを蝕《むしば》んでいきます。それを簡単に回避する方法、それが「ご飯を炊く」ことなのです。

忙しい毎日だとは思います。しかし、自分のからだのため、そして家族のからだのために、ぜひ、1日1食、それが無理なら、1週間に1食からのスタートでもよいので、ご飯をしっかりと食べてください。

第三章

ご飯に合う飲み物、デザート

1 ご飯の後は1杯のお茶

ご飯にみそ汁、納豆に漬物という和食の後はなんといっても「お茶」ですよね。和食に合うことはもちろんなのですが、「健康」という点から見ても、緑茶は最高の飲み物です。

お茶の歴史は古く、日本に伝来したのは平安時代の初期、西暦８００年頃、唐に留学していた僧侶たちが日本に持ち帰ったのが最初といわれています。

この頃は嗜好品としてではなく、薬としての伝来で、鎌倉時代に著されたお茶の薬効書「喫茶養生記」には「茶は養生の仙薬なり……その人長命なり」などとあって、その薬効はかなり的確にとらえられています。

この日本茶（緑茶）が近年、非常に脚光を浴びるようになったのは、私たちの健康を害する大きな要因が「活性酸素（過剰発生により生体膜などの脂質を酸化させてしまい、さまざまな病気を発生させる物質）」とわかり、それを防ぐ抗酸化性の高い成分が大量に入っていることがわかったからです。

この他にも、さまざまな薬理効果が報告されています。では少し詳しく見ていきましょう。

●緑茶の抗酸化成分

①ビタミンC

代表的な抗酸化ビタミンで、別名「不老ビタミン」とも呼ばれています。細胞の酸化防止だけでなく風邪予防や、抗がん作用があることもわかり、現在300以上のクリニックで安全で副作用のない第2の抗がん剤として「超高濃度ビタミンC点滴療法」が行われています。

②ビタミンE

「血管のさびを止めるビタミン」としても有名で、血行を良くして、赤血球を増やし、血液をきれいにする働きと細胞の酸化を防ぐ抗酸化機能が顕著です。

③βカロテン

抗酸化作用に加え細胞膜を強化する作用があります。

④茶カテキン

緑茶で特筆すべきなのはなんといっても「茶カテキン」の存在です。茶カテキンとは俗にタンニンともいい、お茶のうまみ成分のことです。最も含有率の多い茶葉の成分で、15%はこのカテキンで占められます。

これも強力な抗酸化作用を持っており、日本茶に含まれるカテキン（エピカテキン、エピガロカテキン、エピカテキンガレート、エピガロカテキンガレートの4種類）の抗酸化力は、岡山大学薬学部元教授の奥田《おくだ》拓男《たくお》らによればビタミンEの約20倍という実験結果を得ています。

さらに、カテキンは、緑茶に含まれるビタミンC、Eなどの酸化防止効果を助ける作用もありますから、まさに、最高の抗酸化飲料といえるでしょう。また、これからお話しすることを知れば、緑茶は、私たち日本人の知恵が結集した飲み物であり、日本人としての誇りの詰まった飲み物だと理解されるでしょう。

世界的に有名なお茶といえば、緑茶、烏龍茶、紅茶が挙げられます。実はこれらは全て、同じ茶葉から作られます。

では、なぜあれほど味や香りに違いがあるのかといえば、発酵時間が異なるからです。

茶葉は本来、摘み取った瞬間からすぐに発酵を始めます。この発酵を蒸すことで止めた「不発酵茶」が緑茶、摘んだ後しばらく放置して半分だけ発酵させた「半発酵茶」が烏龍茶、そして完全に発酵させた「発酵茶」が紅茶となります。

では、これによりどのような差が出るのでしょうか。実は、茶葉は発酵させればさせるほど、茶葉そのものが酸化するため、それを抑制するために、茶葉が持つ抗酸化物質であるカテキンやビタミンCなどを消費してしまいます。例えば、それぞれの茶葉に含まれるビタミンCを比較すると、緑茶では乾燥葉（１００g）中に約２６０mg、烏龍茶では50mg、そして紅茶では殆ど、あるいは全く検出されないことになります。このように、抗酸化作用で考えるなら、茶葉の発酵を抑えることこそ、重要なのです。中国から輸入したお茶を、カテキンやビタミンCの存在を知らなかった時代に、独自の感覚と技術で発酵を止めてこのように飲み方を編み出した私たちの祖先は、本当に素晴らしく、誇り高い祖先なのです。

ちなみに緑茶は、値段の高い玉露などより、二番茶、三番茶となる煎茶、番茶といわれるもののほうが茶カテキンは多くなります。これは葉の日照時間が長いほど抗酸化性が高くなるため茶カテキンが多くなるからです。

●茶カテキン：その他の作用

①抗がん作用

茶の生産地である静岡県は、がんによる死亡率が全国平均より低いことがわかっています。これについて元静岡県立大学短大部（食品科学）小國伊太郎《おぐにいたろう》教授は、日本一のお茶消費県であることとの関係を考え、県内の市町村ごとに、茶の生産量とがんの死亡率を調べました。その結果、生産量が多い地域ほどがんによる死亡率が低い傾向にあることがわかりました。

中でも茶どころとして知られる大井川流域の中川根《なかかわね》町（日本でも1、2を争う有数の緑茶栽培地）は、胃がんでの死亡率が、男性で全国平均の1／5、女性でも1／3以下でした。緑茶を飲む習慣でも、同町周辺の住民は、「食事以外のときもたびたびお茶を飲む」割合が7、8割にのぼり、他の地域に比べよくお茶を飲んでいることがわかりました。お茶を入れるときは、葉を頻繁に取り換え、少し濃いめにする人が多かったようです。

発がん物質を投与したマウスによる動物実験でも、カテキンを与えないマウスと与えたマウスでは、がんの発生が63％と20％という顕著な差が報告されています。カテキン摂取マウスはがん発生が1／3まで減っているのです。

これは緑茶のカテキン類による発がん物質無毒化作用や、体内における発がん物質抑制作用に加え、ビタミンCやビタミンE、βカロテンなどの影響もあるだろうといわれています。
②殺菌・解毒・抗ウイルス作用
緑茶における感染予防も数々報告されています。例えば、近年胃がんの引き金になるとされる細菌、ヘリコバクター・ピロリ菌に対する抗菌作用です。元浜松医療センター消化器科長、山田《やまだ》消化器内科クリニックの山田正美《まさみ》さんは、試験管内の実験において、カテキンで菌の増殖が抑えられたと報告しています。

さらに、ピロリ菌に感染した34人が、カテキンのカプセルを1ヵ月服用した結果、6人は菌の反応が見られなくなり、残りの人の半数でも菌の活動が弱くなる傾向がありました。ピロリ菌の除去にはとても難渋することがありますから、それがお茶で予防されるというのは朗報だと思います。その他、病原大腸菌O－157、ボツリヌス菌、黄色ブドウ球菌、腸炎ビブリオ、ウェルシュ菌などの細菌に対しても茶カテキンが強い殺菌能力を示したとの実験報告があります。

これらのことから、インフルエンザなどの予防は市販のうがい薬よりお茶のほうが効果は高いと考えます。またフッ素も含まれていることを考えれば、フッ素で歯のエナメル質を強化して酸の浸食を防ぎ、カテキンで口腔内の悪玉菌を殺す効果があるのでそれだけで有効な虫歯予防にもなると考えてよいのではないでしょうか。

③脳卒中予防

お茶のカテキン類には、血圧上昇に関わるアンジオテンシンI変換酵素の働きを抑える作用があることもわかっています。その作用により高血圧による脳卒中発症を予防することができます。東北大学大学院の栗山進一《くりやましんいち》教授の調査（対象4万人）によれば、緑茶をよく飲む人の脳卒中による死亡率は飲まない人に比べて男性で約42％、女性で約62％も低いという結果が出ています。これには茶カテキンによるコレステロール抑制作用、血糖値上昇抑制による糖尿病予防作用も関わっていると考えられています。

その他健康に必要不可欠なミネラル類（カリウム、マグネシウム、カルシウムなど）や、微量元素群（鉄、亜鉛、マンガン、ニッケル、フッ素など）など多数含まれています。

以上、緑茶の素晴らしさをお話ししました。お茶に代わり、食後はコーヒーという食習慣が主流になりつつありますが、健康という視点から見た緑茶は大変素晴らしいものです。市販のペットボトル入り緑茶飲料は、家庭で入れる濃いめのお茶に比べ、カテキン濃度は半分程度ですから、家で飲む場合は、美味しく、そして健康に良いお茶を自分で入れて飲んでください。

「でも、お茶を急須に入れて、お茶を注いで、また残った茶葉を捨てたり、急須を洗ったりするのが面倒だ」という人も多いでしょうね。

そんなときお勧めなのが、「粉末緑茶」。煎茶を粉砕機で極限まで微粉末に加工したもので、茶道で使うお抹茶と同じくらいのパウダー状の細かい粉末です。ふつうの湯飲みに0・5g~1g程度のきわめて少ない量で美味しく、からだにもよいお茶がいただけます。さらにこの粉末緑茶の素晴らしい点は、「茶葉も食べられる」ということです。実はお湯に溶けだす水溶性成分のカテキン類やビタミンB1、B2、Cなどに対して、茶殻には不溶性成分としてβカロテン、不溶性食物繊維、ビタミンE、クロロフィルなどの有効成分が残ったままでした。しかし粉末緑茶なら、インスタントコーヒーのように手軽に飲めるだけでなく、この茶葉も食べることができますから、これまで捨てていた栄養素も摂取できます。一部のスーパーやインターネットでも簡単に手に入ります。ぜひ、一度お試しください。

2 最高のデザートは、りんご！

現在デザートといえば「ケーキ」や「プリン」など甘いお菓子が想像されるかもしれません。しかし高脂肪、高カロリーという肥満の原因をはじめ、大量に含まれる砂糖や油、乳製品などの問題があり、時々のご褒美なら良いでしょうが、毎食後となると到底お勧めできません。

では、何がお勧めか？……「りんご」です。「なんだ、りんごか」と侮るなかれ。りんごは果物においては究極の健康フルーツの一つなのです。

りんごの歴史は古く、平安時代には中国から「和りんご」が伝来しました。ただし、それは小粒で甘みがなく、酸っぱい果実でそれほど魅力的なものではなかったため、日本で大きく普及することはありませんでした。

しかし、明治初期に、欧米文化到来とともに甘くて美味しい「西洋りんご」が導入され、その人気とともに日本中に広がり、さらに日本の気候風土に合った品種に改良された結果、現在の素晴らしく美味しいりんごが出来上がりました。世界的に見ると、りんごの生産量は中国が最も多く、次にアメリカ、トルコ、ポーランドが続き、日本は世界ランキング（国際連合食糧農業機関ＦＡＯの２０１２年統計）第16位です。しかし、品質の高さは、世界一と言われており、現在では高級フルーツとして世界に輸出されています。

私自身も海外で、日本のりんごのように美味しいものに、一度も出会ったことがありません。海外産のりんごに出会うたびに、改めて日本のりんごの美しさや香りのよさ、そして糖度の高さに驚かされます。日本のように甘さと酸っぱさがバランスよく同居しているりんごは、世界中を探してもほかにないくらい素晴らしいものです。りんごは世界中の多くの人々にとっても、最もなじみ深い果物の一つです。旧約聖書が伝えるエデンの園の物語で、アダムとイブが食べてしまった禁断の果実はりんごでした。またグリム童話の白雪姫が食べたのもりんごです。ニュートンが重力を発見したのは、木から落ちるりんごを見たときでした。

またりんごは、健康に寄与する果実としても有名です。ヨーロッパで有名なことわざに「りんごが赤くなると医者が青くなる」とか「1日1個のりんごが医者を遠ざける」というものが存在します。

最近の科学的な研究でも、実際のりんごの凄さが次々と証明されていま す。例えば、疲れているときにりんごをかじれば、りんごの糖分である果糖とブドウ糖がエネルギーになり、酸っぱさの素であるクエン酸やりんご酸、酒石酸が疲労物質である乳酸の生成を抑えるので、疲労を回復してくれます。また、りんごに含まれる抗酸化作用を持つアントシアニン（ポリフェノールの一種）やフラボノイドは活性酸素を除去することで、からだの疲れや老化を抑えます。またこれは眼精疲労の回復や視力の向上に有効です。

それ以外にもカテキンの一種「エピカテキン」による活性酸素抑制や酸化防止作用に加え、口臭予防・虫歯予防（口臭の主成分といわれるメチルメルカプタンを抑制することで口臭予防、エナメル質の崩壊を防ぐことで虫歯予防）やアレルギー抑制作用（アレルギー症状の原因となるヒスタミンなどを抑制）も認められています。

また、栄養素の面から見ても素晴らしいものです。これまでも何度も出てきた私たちの体にとって必要な6大栄養素のうち、たんぱく質と脂質を除くすべての栄養素が含まれています。特に炭水化物、ビタミンB1、ビタミンC、カリウム、リン、食物繊維などが豊富に含まれているのが特徴です。

特にこれらは「皮」に多く含まれています。青森県環境保健センターの成分分析結果によれば、果肉と果皮の栄養素を測定すると、果皮のほうが、食物繊維1・6倍、カルシウム3・2倍、ビタミンA2・5倍、ビタミンC4・0倍となっています。なお、りんご1個分の皮の栄養を他の野菜でたとえるなら、食物繊維はレタス1個分、カルシウムは温州みかん1／3個分、ビタミンAはピーマン1個分も含まれていることになります。栄養価だけでなく、抗酸化作用についても皮付きのほうが高い有効性を示します。イギリスの有名な科学誌「Nature」（ネイチャー）の2001年6月22日号に掲載されたアメリカ、コーネル大学の報告によると、りんご１００ｇの中に、ビタミンＣ１５００ｍｇに相当する抗酸化作用が認められたといいます。総抗酸化活性は、皮付きのほうが皮なしよりも2倍ほどすぐれていました。

これを考えるなら皮は非常に大切な栄養素だと言うことができます。

昔は服の袖できゅきゅっと皮をこすり、がぶりとかじりつくのが当たり前でしたが、現在はそのような食べ方を見ることはほとんどなく、ほぼ１００％が皮をきれいに取り除いたものでしょう。その気持ちもわかります。現在は農薬問題がクローズアップされていますし、私自身もりんごは農薬量の多い果実の代表だと思っています。

ただ、近年は無農薬りんごに挑戦し成功させた木村《きむら》秋則《あきのり》さんの「奇跡のリンゴ」のヒットなどもあり、減農薬、有機栽培りんごも増えてきました。

良いりんごを選び、しっかり洗うなどして、ぜひりんごの「丸かじり」に挑戦してみてください。

アップルペクチン

さらに、りんごの素晴らしさを示すのがアップルペクチンです。これは水溶性の代表的食物繊維の一つで、りんごに含まれているペクチン質のことです。ペクチンは、植物の細胞壁にある複合多糖類です。花が咲き種を作る植物であればみな、葉や茎、果実の部分に含まれています。食べ物の中ではフルーツ類に多く含まれ、りんごだけでなく、オレンジやレモン、グレープフルーツといった柑橘《かんきつ》類、すもも、いちじくなどに多く含まれています。

1個の皮付きりんご（約200g）に、約0・4～1・6gのアップルペクチンが含まれていますが、その大半は、通常捨ててしまう皮の部分に含まれています。この点から考えてもやはりりんごは皮ごと食べることが望ましいと考えられます。

富山医科薬科大学（現・富山大学医学部）の研究グループにより、アップルペクチンの効能について以下のものが報告されています。

①高い静菌作用があり、O－157が体内に入ってきても、増殖させずそのまま便とともに体外に排出させることが可能。

②腸管内の善玉菌を増やして悪玉菌を排泄する。
③腸管内の活性酸素の発生を抑制する。
④がん抑制作用あり。マウスの腫瘍発生率を50％以上減少させた。
⑤体重増加抑制効果あり。アップルペクチン投与群のラットは体重が10％減少した。

なお、アップルペクチンは、加熱処理したほうが分子量が小さくなり活性酸素除去機能がアップすることがわかっているため、ジャムや煮りんご、家で作る砂糖抜きの焼きりんごなども素晴らしい食べ物ということになります。つまり、りんごはどのような食べ方でも私たちに多くの恩恵を与えてくれるのです。さらに「皮をむかないほうがいい」となれば、本当にお手軽な果物であり、毎日の食生活に組み入れやすいのではないでしょうか。

どうしても皮が硬くてという人は甘く熟したりんごは生でポリポリとかじり、皮の部分は電子レンジで加熱して柔らかくするなんていう裏技もありかなと思います。

3 時にはバナナやキウイも

さて、散々りんごの素晴らしさをお話ししてきましたが、毎日必ずりんごでなければならないということではありません。

それを端的に示しているのが、元帝京大学薬学部の山崎正利《やまざきまさとし》教授が行なったさまざまな果物や野菜のジュースをマウスに注射して、白血球の活性化を調べた実験です。

その結果によれば、りんごだけでなくバナナやキウイなどにも白血球増強作用がありました。また野菜ではキャベツ、だいこん、ほうれん草に白血球を活性化する力が強いことがわかりました。

特に、バナナジュースをマウスに注射して白血球の変化を見た結果では、白血球の働きが質的に強化されたことを示すＴＮＦの産出量が、何も摂取しないマウスに比べ100倍以上にもなったそうです。

簡単にいえば、バナナジュースで風邪をひきにくいからだになったということです。

またりんごのアップルペクチンのように、バナナにはバナナの、その他のフルーツにはその他のフルーツにしかない良さがあります。

つまり、りんごは果実で最高の食べ物であることに間違いありませんが、バナナを含めすべての果実は素晴らしいのです。

「食べたくないのに必ずりんご」ではなく、バナナはもちろん、季節の美味しい果物を毎日の生活の中に楽しく取り入れて、果物をたくさん食べてほしいと思います。チョコレートやクッキーなどのおやつ、ケーキやプリンなどのデザートを、りんごやバナナ、みかんなどの果実に代えて、ぜひ健康なからだを手にしてください。

第四章

グルメを楽しむために

これまで、ご飯、そしてご飯に合うおかずとしてみそ汁、梅干し、卵、納豆、ぬか漬けなど、いわゆる和食の素晴らしさをお話ししてきました。

「よし、明日から、ご飯とみそ汁は大切にしよう」
「納豆は1日1回、必ず食べよう」
と思ってくださったでしょうか。

ただ、現実問題として、仕事をしている人は、いつも自炊というのは難しいでしょう。さらに、肉が食べたい、ラーメンが食べたい、お寿司が食べたいなどの欲求も出てくるのは当然です。

そこでここでは、ご飯を中心にしながらも、世界でも有数のグルメといわれる日本人に合った、現実的な食生活の中での料理の選び方、注意点などに言及し、みなさんの日常の食習慣の参考になるお話をしていきます。

	Kcal	脂質(g)	VitB1(mg)	VitB2(mg)	VitB6(mg)
牛 ばら肉	517	50	0.04	0.11	0.16
豚 ばら肉	386	34.6	0.54	0.13	0.21
鶏 ささみ	114	1.1	0.09	0.12	0.66

(食品成分表2012　女子栄養大学出版部　香川芳子監修より)

●肉が食べたいとき

私が最もお勧めする肉料理は、「焼き鳥」です。

その理由は、肉の中でも鶏肉が最も「ヘルシー」だからです。

日本人が最も食べる3大肉、牛肉、豚肉、鶏肉の可食部100gの栄養成分を見比べてみましょう。

これを見れば一目瞭然、鶏(ささみ)は現在最も問題になっている生活習慣病である、「肥満、高血圧、糖尿病、高血圧」の原因となる脂質が他の肉と比べて非常に少ないのです。牛

（ばら肉）と比べればなんと約50分の1です。
（『食品成分表2012』香川芳子監修　女子栄養大学出版部より）

さらに「焼く」という調理方法が良いです。これにより余分な脂肪が落とされ低カロリーとなるだけでなく、脂肪に蓄積しやすい肉の有害物質（ホルモン、農薬、抗生物質など）も除去することができるからです。

以上を加味すれば、外食で最もお勧めなのは「焼き鳥」ということになります。なお、豚肉は、鶏肉に比べれば確かに高カロリーですが、日本人が不足しがちなビタミンＢ１が多く含まれています。その点を考慮し、焼く、蒸す、湯がくなど脂肪が落ちやすい料理法で時折豚肉を食べることはよいと考えています。

なお、牛肉に関してはカロリーだけでなく、残留ホルモン（米国牛赤身エストロゲン濃度は和牛の６００倍。日本ではホルモンの使用は禁止されている）などの問題もあり、肉の中では最もお勧めできません。

●麺類が食べたいとき

日本の3大麺といえば、ラーメン、そば、うどんです。

この中で私が最もお勧めするものは、そばです。そばの歴史は古く「続日本書紀」によると722年にそばは救荒作物として植え付けが推奨されたとの記載があります。ただ、その当時は「そばがき」というそば粉を練った食べ物でした。今のいわゆる麺としてのそばが登場するのは、徳川3代将軍家光の頃です。つまり、そばはすでに日本人に1000年以上食べられてきた国民食であり、麺としてのスタイルは300年以上続く大定番な食べ方なのです。さらに海外でも「miso soup」と同様「soba noodle」と呼ばれ、今や日本だけでなく、国際的な麺料理となっています。

なぜ、私がそばを最も推薦するのかといえば、美味しいことはもちろんですが、栄養的に非常に優れた食べ物だからです。

そばに含まれる代表的な栄養素といえばまず、ポリフェノールの一種であるルチンが挙げられます。これは血管の弾力性を保ち、血液をサラサラにし、血圧を下げるという素晴らしい作用を持っています。さらにビタミンCと一緒に摂ると吸収率がアップするのですが、そばの薬味として、ビタミンCがたっぷり入ったネギ、わかめが入っていますから、スムーズに無駄なく多くのルチンが体内に吸収されます。

それ以外にも、脳の記憶細胞に働きかけ、脳の保護、活性化を促してくれるコリン、エネルギー生産にかかわる、日本人に不足しがちなビタミンB1、B2、抗ストレスビタミンと呼ばれるパントテン酸、豊富なアミノ酸（リジン、トリプトファン、メチオニン他）、などさまざまな栄養素を含んでいます。

以上より、麵を食べたいときは、迷わずそばの選択を私は推薦します。

次にお勧めなのが、うどんです。麵に関しては小麦粉であるうどんはそばより劣ります。しかし、うどんはそばと同様トッピングがわかめやネギなど栄養豊富なものが主ですし、またつゆのだしはかつおや昆布などから取るため、魚のうまみと栄養もたっぷり入っています。

よって、うどんもトッピングを上手に行なえば食べてもよい麺といってもよいでしょう。

これに対して、ラーメンはというと、少し「余計なもの」が多いと思われます。

ここでいう余計なものとは、「脂」です。ラーメンを食べ終わった後、テーブルがべとべとするのを経験されたかたも多いのではないでしょうか。これらは豚骨や牛骨、鶏がらから出る動物系脂にほかなりません。

この脂は、高カロリーであるということはもちろん、体内で溶かすことのできない脂として、血液をドロドロにしてしまいます。よって、できれば避けたいと考えています。

また、ラーメンはトッピングも問題です。例えば、みそラーメン。かけうどん約300kcal、かけそば約350kcalに対して、みそラーメンのカロリーは約550kcalとすでに高めです。そしてトッピングとして定番の「チャーシュー、煮卵、コーン、長ネギ」などを入れてしまうと、総カロリーは850kcalにもなってしまいます。さらに近年は、こってりした味の濃いラーメンが好まれる傾向にあり、「1g＝9kcal」もある背油をわざわざ追加したりします。それにより、ラーメンの種類によっては1杯で1200kcalを超えるメニューまで存在します。

以上を検討すれば、3大麺において、最もお勧めすることのできる麺はそばであり、ラーメンは少し控えてほしい麺ということになります。

ただ、そうはいってもラーメンが食べたいこともあるでしょう。そういう場合は、ぜひ魚介系スープをメインにしたラーメンを選ぶようにしてください。そしてできる限り野菜をトッピングして、まず野菜から食べるようにしてください。そうすれば野菜に含まれる繊維の力により、ラーメンの脂の吸収を抑えることができます。少なくとも、「チャーシューメン」や「全部乗せ」など、さらにカロリー追加となるトッピングはしないようにしてください。

●寿司の楽しみ方

寿司は、究極の料理方法の一つです。なぜなら、健康食材である魚を、火をかけると壊れてしまうビタミン、ミネラル、酵素を一切壊すことのない生食で食べることができ、さらに、そのネタの乗ったご飯に酢（＊）を混ぜているからです。

＊酢の力～ミツカンなどのお酢メーカーと大学などの共同臨床試験の結果、酢には、生活習慣病抑制作用（メタボ抑制、血圧低下、血糖値上昇抑制）、疲労回復作用、骨強化作用、殺菌作用など多数報告されている

つまり寿司とは、魚の健康的な究極の食べ方といえます。

一昔前まで、いくら健康的だといっても寿司は高級料理であり、家族で食べに行くなどということは、ほとんどありませんでした。しかし現在、この

寿司を「1皿100円」と格安で提供してくれる回転ずしの存在で、多くの人が、手軽に寿司を食べることができるようになっています。

ただし、格安で寿司を提供するために、当然ですが、各会社は多くの企業努力を行なっています。そして、その努力はどうしても「安く」という点が強調されるため、「健康」という点から見れば消費者側にとって、マイナスと思われるものもいくつかあります。

回転ずしを上手に、健康的に利用するための秘策を、マイナス面を考えながら伝授したいと思います。

☆回転ずしの上手な利用法

ルール1～魚の形がないものは食べない

これは、どういうことかといえば、マグロ、いわし、しめ鯖、ひらめなど、ネタとなる魚がそのまま生の形で酢飯に乗っているお寿司を食べ、ネギトロや明太子など、魚の形が崩されているもの、魚の形がないものはできるだけ避けるということです。なぜなら、形を崩された食材は、そこに「加工技術」が施《ほどこ》される可能性が高くなってしまうからです。

・偽装ネギトロ：ネギとトロを合わせたネギトロは本来、マグロの脂ののった中落ちや、皮の裏についている脂身、トロ身を包丁で細かく潰したものにネギを加えて作られます。しかし、その材料となる中落ちやトロ身とは、マグロを1本まるごと買い付けしているような店でなければ出せない代物で、量の確保も非常に難しいものです。

そこで考え出されたのが、「人工ネギトロ」です。業務用食品店にて、グルタミン酸ナトリウムやグリシンなどの調味料、PH調整剤や乳化剤のあらかじめ配合されたネギトロ用ショートニングを購入し、これをミルサーでマグロの赤身とただ混ぜるだけで、あっという間に完成してしまいます。

このように、魚の形のないネギトロは、加工技術が施されやすいため、信頼できるお店以外では、食べないほうが良いのです。

・明太子：明太子はスーパーなどでも手軽に買える食べ物であり、ご飯のおかずや酒のおつまみなどにも好まれ、最近は回転ずしでもよく見かけるネタになりました。しかし、この明太子、値段は1腹何千円もする高級品から数百円程度の安いものまで実にさまざま存在することはご存じでしょうか。なぜ、同じ明太子でこれほどまで差があるのかといえば、安い明太子には、ネギトロ同様、多くの加工技術が施されているからです。

加工技術を施した明太子の作り方の一例です。まず締まりや色の悪いタラコを、下処理溶液（ポリリン酸ナトリウム、ミョウバン、アスコルビン酸ナトリウム、亜硝酸ナトリウム、ニコチン酸アミド、ソルビトールなど）につけて新鮮に見える状態にします。これに大量のグルタミン酸を中心とした調味料、タール系の着色料、発酵アミノ酸エキスや魚由来のたんぱく加水分解物、トウガラシ溶液を加えることで、安いながらも色味の良い美味しい明太子を作り出します。

もちろん、これがすべての明太子にあてはまるわけではありません。しかし安いものほどこうした工程で作られている可能性が高く、回転ずしでは商品を安く提供しなければ採算が取れないため、どうしても、このような安い明太子が使われている可能性が高いと想像されます。

このように、魚の形から離れていったものほど、加工技術が加えられている可能性があります。よってできるだけ魚を切っただけの魚の形が残っている寿司を選び、人の手が入りそうな食べ物は食べないほうが無難でしょう。

ルール2～魚以外の寿司は積極的に食べない

最近では、子供向けにハンバーグやミートボールの寿司が見られるようになりました。しかし、これらもできればあまり食べてほしくない寿司です。

理由はルール1と同様、形の崩れた食材は多くの加工技術が施しやすいからです。

例えば、ハンバーグの肉です。使われている肉の一例として経産牛（老廃牛）と言われる乳牛のなれの果ての安い肉が挙げられます。経産牛は、一生の大半を牛乳製造器として使われたため、老廃牛となるころには、組織は枯れ、そのままではとても食べられない肉となっています。しかしこれに、グルタミン酸ナトリウムのような化学調味料や塩、大豆たんぱく、乳化剤、トランスグルタミナーゼなどを加え、プレスしつつ冷凍することで形成しています。この加工技術によって安くて美味しいハンバーグやミートボールを作り出すことができます（もちろんすべての回転ずしがこのようなものを使っているわけではありません）。

以上のことから、加工技術を加えやすい食材を使ったハンバーグ寿司などの変わり種は、極力避けるようにしたほうがよいと思います。そしてこれは、寿司屋のハンバーグだけでなく、スーパーに並んでいる多くのものにあてはまることも覚えておいてください。

ルール3〜ガリは食べない

お寿司のテーブルにいつもおかれているガリ。甘酸っぱく、寿司の箸休めにはぴったり。しかし、これも、加工技術の問題が指摘されています。

大量生産される安いガリの作り方はこうです。
①生姜の皮をむきスライサーで薄切りにする。
②薄切りにした生姜を2・3%の食塩でしんなりする程度煮る。
③酢100gに対して、塩1g、サッカリン0・5g、グルタミン酸やグリシン、着色料などを加えたものに②の生姜を漬け込む。
④2~3日冷蔵庫で寝かして完成。

このように、安いガリも、これまで同様多くの添加物が使用されています。つまり、これも無料だからとあまり大量に食べないようにしてください。そうすればお店も得しますから。もしかしたら、その分で、安全な寿司を作ってくれるかもしれません。

ルール4~「マイ醬油、塩、レモン100%果汁」を持参しよう

最後に寿司の調味料についてです。

私は、回転ずしに家族で出かけるときは、いつもこの3点セットを持参す

るようにしています。

まず醬油ですが、回転ずしにおかれている醬油は、コンビニ弁当のところで出てきた「醬油風調味料」を使用している可能性があります。

くり返しになりますが醬油とは、本来、煎った小麦や蒸した大豆で麴を作り、そこに塩と水を混ぜ合わせてもろみを作り、このもろみを樽の中で1年以上じっくり発酵させ、最終的にそれを搾り取って作るものです。従って、主な材料は「小麦、大豆、塩」となります。

これに対して「醬油風調味料」は、脱脂加工大豆（＊）、調味料、ＰＨ調整剤、甘味料、酸味料、カラメル色素など、およそ醬油とは関係のないものを多数混入することで、醬油に近いものを人工的に作り出したものです。

この点を考慮すると、私は、とくに子供達に美味しい寿司を安心して食べさせるために、本物の醬油を持参するようにしています。

＊脱脂加工大豆～工場で大豆から大豆オイルや、大豆たんぱく、レシチンをとったあとの、栄養分がほとんど残っていない残りかすから作られるもの。

これに塩酸を加え、高圧環境でかき混ぜ、加水分解処理を行なうことでうまみ成分を取り出し、他の食材に使用される

次に塩とレモンです。

あぶり寿司や、イカ、カレイのエンガワなど淡白な味の寿司に１００％無添加レモン果汁（もちろん本物のレモンやカボス、スダチを持参してもOK）を数滴たらし、天然塩をパラリと振り掛けて食べるという方法をとります。これにより、醤油とまた違った魚の美味しさを味わえます。さらに、天然塩のビタミンやミネラル、レモン果汁に含まれるビタミンC、クエン酸、ポリフェノールやリモネンなど栄養面の強化も可能です。

●揚げ物を食べたいとき

コンビニの弁当を見ると、コロッケ、から揚げ、とんかつなどの揚げ物は非常に多く入っています。また外食でも、揚げ物を安く、美味しく提供する

お店は、多数存在します。しかしこれらの食べ物は結論から言えば、あまり食べるべきものではありません。

なぜなら「油」が問題だからです。

通常、外食で使われる油の中には「トランス脂肪酸」が多く含まれています。

トランス脂肪酸とは、一言でいえば自然界には存在しない人工的に作られた不自然な油で、高温の植物油にニッケルや銅を触媒にして水素を人工的に添加させ、固まらず、腐らないようにした油です。

この油で揚げたものは酸化しにくいため、食品業界にとっては非常にありがたい油なのですが、一方、からだにとっては大きな負担になります。

トランス脂肪酸は、言ってみれば現代的なテクノロジーが生み出した人工物ですから、からだにとって必要な天然の脂肪酸とは異なり、私たちのからだが有効に使うことができません。

そして、これらの油を投与し続けられたからだは徐々に蝕まれていきます。現在では、この油により、心臓発作、がん、糖尿病、認知症の悪化など数々の報告がなされています。

つまり、トランス脂肪酸の摂取は、現在日本で大きな問題になっている多くの疾患を悪化させる危険があるのです。

しかもこの油は、揚げ物を食べないだけではブロックしきれません。

実はこのトランス脂肪酸、揚げ物以外にも私たちの生活の中に多数存在します。

身近なところから言えば、マーガリン、コーヒーフレッシュ（コーヒーに使用するカップ型のミルク）、各種ドレッシング、戸棚の中に入っているお菓子、冷凍食品、加工食品などです。

ただし、原材料のところに「トランス脂肪酸」という表記はありません。そこには「植物油」「食品精製加工油脂」「ショートニング」「ファストスプレッド」などと名前を変えて記載されています。

「でも、デパ地下などの高級総菜コーナーのてんぷらなら大丈夫でしょう」

と、質問されることもあります。しかし、お総菜コーナーの揚げ物の多くは「ショートニング」を使っています。なぜならショートニングを使えば衣がパリッと仕上がり、持ち帰って時間が経過したものを食べても美味しいからです。

とすれば、私たちが、いわゆる「購入」するものに関しては、なかなか安全な油に出会えないということです。

さらに外食では、同じ油を何度も高温にして繰り返し利用します。これにより、さらにトランス脂肪酸が増えるだけでなく、からだを酸化させる有毒物質、過酸化脂質に油が変化していきますので、非常に体に悪い油となってしまうのです。

以上より、残念ですが、外食における揚げ物は、できるだけ避けるべき食べ物ということになります。

では私たちがどうしても揚げ物を食べたいときはどうするのか。

少し大変ですが、家で作るというのが結論です。そうすれば、油は1回で使いきりですから、酸化を防ぎ、トランス脂肪酸を摂取する可能性が大幅に低下します。

さらにこのとき、油を「ココナッツオイル」にすれば完璧です。

この油は熱を通しても酸化しにくく、トランス脂肪酸へ変換することもありません。また、ココナッツオイルはこれまでに、感染症、肥満、心臓病、がん、糖尿病、前立腺肥大、アルツハイマー病など多数の疾患の改善、予防に効果があることが科学的に証明されてきています。

揚げ物が食べたくなったら、家で、そしてできればココナッツオイルを使って調理してください。

また近年では油を使わないで揚げ物を作ることのできる調理器具が多数開発されています。そのようなものを上手に使うのもよい手段かもしれません。

ちなみにわが家では、「ヘルシオ」というオーブンレンジを使用することで、油を使わずに作っています。

どうしても外食するときは、ラーメンと同様、最初にしっかりと野菜を食べ、腸を繊維でコーティングしてから揚げ物を食べれば、多少なりとも油の吸収が抑えられます。

●お菓子を食べたいとき

お菓子は、子供のおやつとしてだけでなく、疲れたときや、ちょっと小腹がすいたときに、多くの大人たちも口にする食べ物です。ただし、お菓子の種類は同じでも、中身は大きな差があります。どれぐらい差があるのかを、私たちが口にすることが多いお菓子で比較してみました。

なお、アンダーラインを引いた材料は、人体に危険な可能性があると考えられているものです。

●安全な商品、不安な商品の見分け方

アイスクリーム

アイスクリームと表示できるのは、乳固形分15％以上、乳脂肪分8％以上のものと決められています。この基準さえ満たしておけば、あとは何が入っていてもアイスクリームとなります。

では、それぞれ安心な商品、不安な商品の代表的な原材料名を詳しく見てみましょう。

・安心な商品：「MOW（モウ）バニラ（森永乳業）」

原材料名：乳製品、水あめ、砂糖、卵黄、カラメルシロップ・バニラ香料

食品添加物としては香料しか入っておらず、さらにこれはバニラ香料ですから、非常に安全なアイスクリームと考えられます。

・不安な商品：「Sアイス（G社）」

原材料名：植物油、糖類（砂糖、ブドウ糖）、脱脂粉乳、マシュマロ（豚由来）、落花生、準チョコレート、ホエイパウダー、ココアパウダー、マルトデキストリン、増粘多糖類、乳化剤、香料、着色料：黄4・黄5・赤2・青1

添加物一つ一つの危険を取り上げることはしませんが、同じ「アイスクリーム」という商品でも、そこに含まれる原材料は全く異なります。今後アイスが食べたくなったら、CMや値段で決めるのではなく、必ず内容物を確認し、できるだけ原材料名が少なく、またその一つ一つが自分の理解できる食べ物で構成されたものを選んでください。

スナック菓子

・安心な商品：「ベジップス さつまいもとかぼちゃ（カルビー）」

原材料名：さつまいも、かぼちゃ、植物油

植物油が使われていて、遺伝子組み換え、トランス脂肪酸の不安はありますが、それ以外の不安な添加物が使われていないので許容としました。

・不安な商品：「ポテト系スナック（M社）」
原材料名：乾燥じゃがいも、小麦粉、ショートニング、ホエイパウダー（乳製品）、砂糖、植物油脂、シーズニングパウダー（食塩、オニオンパウダー、砂糖、たんぱく加水分解物、大豆を含む、その他）、とうもろこしでん粉、食塩、たんぱく加水分解物、加工でんぷん、貝カルシウム、調味料（アミノ酸等）、膨張剤、乳化剤、香料（キウイフルーツ、鶏肉由来）、パプリカ色素、カロテン色素、甘味料（ステビア）、カラメル色素、酸化防止剤（ビタミンE、ビタミンC）、香辛料抽出
下線を引いた理由についての補足：乾燥じゃがいも、とうもろこしでんぷんなどは、原産地表示がありませんが、乾燥じゃがいもはほとんどが輸入品で、遺伝子組み換えの可能性があるため危険なものと判断しています。

クッキー（ビスケット、クラッカー）
・安心な商品：「パンプキンびすけ（げんきタウン）」

原材料名：小麦粉（国産）、有機かぼちゃ（国産）、洗双糖（鹿児島県産）、菜種油（非遺伝子組み換え）、食塩（自然海塩）

・不安な商品：「Rクッキー（B社）」

原材料：小麦粉、砂糖、植物油脂、マーガリン、全粉乳、脱脂粉乳、鶏卵、マルトース、水飴、デキストリン、乳糖、ココアパウダー、ホエイパウダー、食塩、洋酒、乳化剤、ガゼインナトリウム、香料、膨張剤、着色料（カロテン）

以下お勧め商品のみ記載します。

チョコレート

・安心な商品：「ミルクチョコレート（明治）」

原材料名：砂糖、カカオマス、全粉乳、ココアバター、レシチン、香料

菓子パン

・安心な商品：「ＭＹ　ＢＡＧＥＬ（パスコ）」
原材料名：小麦粉・でんぷん・糖類・マーガリン・食塩・パン酵母・脱脂粉乳・発酵種・醸造酢・卵・加工油脂・ビタミンＣ・（原材料の一部に卵、小麦、乳成分、大豆を含む）

注意事項：「安心な商品」として紹介したお菓子類は、「健康のために積極的に食べなさい」と言っているわけではありません。お菓子類は当然ながら食べなければ食べないにこしたことはありません。ただ、コンビニやスーパーが常に私たちの周りにある以上、お菓子を含め、加工食品をどうしても購入する場合があるでしょう。そのとき少しでもからだに悪いものを摂取しないための知恵として、異物があまり入っていない商品として例示したまでです。この点をお忘れないようにお願いいたします。
参考文献：『食べもの通信』　２０１４年８月号

●究極のおやつ

では、購入できて積極的に摂取してよいおやつというものはないのでしょうか。

これまでお話ししたことを総合して考えると、よいおやつの条件といえば、以下の3点となります。

①材料が国産のもの
②添加物や遺伝子組み換え、残留農薬の心配がないもの
③ビタミン、ミネラル、食物繊維などを含むもの

これを考慮しておやつを考察すると、以下のようなものがお勧めできます。

・干しイモ、スルメ、いり大豆、落花生、プルーン、酢昆布、干しガキ、バナナやりんご、みかんやブドウなどの果物

これらは、栄養面からも完璧なおやつといえます。現在コンビニでも干しイモやスルメが買える時代ですから、特に大人のみなさんは、いつも机にチョコレートやスナック菓子を入れておくのではなく、このような華やかではないけれど、美味しく健康に良いおやつをストックしておいてほしいと思います。

なお、おやつのとらえ方ですが、子供は大人と比べて意味合いが異なります。

大人は、重労働の職業についていなければ原則おやつは不必要です。しかし子供たちの場合は、3食の食事だけではカロリーが不足します。そのため、食事以外に1日の摂取カロリーの15%程度はおやつ（補食）として摂取しなければなりません。つまり、子供にとっておやつは大切な「4食目」なのです。

大切な「4食目」だからこそ、お勧めしたいのが「おにぎり」です。おにぎりなら、簡単に作れ、具さえ変えればバリエーションは無限大です。また、食べれば速やかにエネルギーへと変換されます。おにぎりは子供たちにとって、疲れたからだを速やかに復活させ、スポーツや勉強に集中することができるようにするパワー食なのです。

子供たちの健やかな成長のためにも、ぜひ、日本のソウルフード、ご飯を上手に毎日の生活に取り入れてください。

以上、外食やコンビニを利用する際、少し気を付けてほしいと思うことを書き足してみました。一つの知識として覚えておいて、毎日の生活に生かしてください。

おわりに

今の日本人は一体何を食べているのでしょうか？

例えば、つい先日、私の外来に来たアトピー性皮膚炎の高校生の食事はざっとこういうものでした。

朝：菓子パンとコーヒー（砂糖入り）
昼：コンビニ弁当かパン
夜：コンビニ弁当を食べて塾
夜食：カップラーメン

また『家族の勝手でしょ！』（岩村暢子著　新潮社）という本があります。これは2003年から2008年までの6年間、普通の主婦120人、120家庭の3食2520食卓の記録をまとめた本です。

これには1週間に1度しか野菜を食べない家、「家では一切作らない」と公言し、運動して喉が渇くからと「1日に必ずコーラ1・5リットル飲む」

と胸を張る主婦、羊羹《ようかん》のように切ったウイロウ、うまい棒というスナック菓子を5本ぽんとお皿に出して「朝食」だとするお菓子化した食事、そして家族が各々食べたいものを食べたい時間にチンして食べるバラバラ食の家庭と驚くべき食卓の様子が記載されていました。

私が経験した例でも、家に包丁とまな板がないとおっしゃるお母さんにお会いしたことがあります。

現在日本の食は、崩壊しつつあるのです。

そして、この食の崩壊は、ゆっくりと日本の健康を蝕み始めています。

例えばがんの発症数です。

1980年代まで、日本は世界に誇れるがん発症の少ない国でした。しかし、食の崩壊した現在では、全く違った統計となっています。

2000年以降、先進国における男性のがん死亡率は、人口10万人当たり、2006年イギリス271人、2005年フランス299人、2005年アメリカ198人に対して、2009年日本では336人もの人ががんで亡くなっています。

その他にも、不妊症、アレルギー疾患、生活習慣病、透析、認知症などさまざまな病気が増え続けています。

今すぐに、対策を取らなければならない、そのための処方箋が「ご飯を食べれば病気にならない」なのです。

「すべては食から生まれ、食に帰る。食の秘密を知るものは幸不幸を自由にし、また全世界の人々を導くことが出来る。しかし、食の秘密を知らないものは不幸に悩み、命を滅ぼす（遠藤栄子・NPO法人メダカの学校）」

「食は命」です。私たちが食べたものは、自分自身になっていきます。何を選び、どう食べるかで、私たち自身は変化していくのです。

ただし、男女とも仕事を持ち、何かと忙しい日本人の現在を考え、今回はとにかく、難しいこと、時間がかかることは排除し、料理を作ったことがなくても、仕事が忙しくても、美味しく簡単にできる食事の提案をしたつもりです。毎日が無理なら週に1回でも2回でも構いません。お米を炊くことから始めてください。

ただし、絶対にダメな食べ物などはありません。食べ物は愛です。例えばカップラーメン。添加物から考えれば、もちろん積極的に食べるものではないでしょう。しかし、被災して、食べ物がなくて、インスタントラーメンを食べるとき、私たちは、ラーメンに手を合わせるはずです。

食事の内容はもちろん大切。でも、８・５億人が飢えに苦しんでいる地球上で、いつでも食べ物があるありがたみを忘れることなく生きていきたいと、私自身は常に思っています。

２０１３年10月、産経新聞にのった小学校６年生、森琴音さんの「わたしの願い」というエッセイを紹介します。

「わたしの願い」
わたしはしゃべれない　歩けない　口がうまく　うごかない
手も足も自分の思ったとおりうごいてくれない
一番つらいのはしゃべれないこと

言いたいことは自分の中にたくさんある
でもうまく伝えることができない
先生やお母さんに文字盤を指でさしながら
ちょっとずつ文ができあがっていく感じ
自分の言いたかったことがやっと言葉になっていく
神様が1日だけ魔法をかけてしゃべれるようにしてくれたら…
家族といっぱいおしゃべりしたい
学校から帰る車をおりてお母さんに
「ただいま！」って言う
「わたし、しゃべれるよ！」って言う
お母さんびっくりして腰をぬかすだろうな
お父さんとお兄ちゃんに電話して
「琴音だよ！　早く、帰ってきて♪」って言う
2人ともとんで帰ってくるかな

家族みんながそろったらみんなでゲームをしながらおしゃべりしたい
お母さんだけはゲームがへたやから負けるやろうな
「まあ、まあ、元気出して」ってわたしが言う
魔法がとける前に家族みんなに「おやすみ」っていう
それでじゅうぶん

彼女は3歳のとき、事故で心肺停止となりました。一命を取り留めましたが、低酸素脳症の重い後遺症で下半身は麻痺し、声は出るが言葉にならなくなってしまいました。

完成したエッセイを読んだ父親の淳さん（35歳）は「言葉を失った琴音の思いを初めて知って涙が止まらなかった」といいます。

活発な琴音さんだが、一番の願いが「しゃべりたい」であるのは、「お兄ちゃんとけんかしたいから」だそうです。

学校生活でも、友達とのおしゃべりが楽しみ。文字盤を使うのでなかなか

スピードについていけないが、できれば「そんなんちゃうで」と〝ツッコミ〟をしてみたいと願っています。

わたしも、このエッセイを読んだとき涙がでました。

「魔法がとける前に家族みんなに『おやすみ』って言う　それでじゅうぶん」

この言葉にただただ感動しました。

私たちは動けること、しゃべれること、食べられること、つまり「健康」であることの凄さを忘れています。クリスマス前、病気で私の診察に来られる患者さんたちに「もしサンタクロースがどんな願いでもかなえてくれると言ったら何をお願いしますか？」と聞くと、ほぼ１００％「からだを健康にしてもらう」と答えていました。健康なからだ、それは魔法のような力を持っているのです。

ぜひ、もう一度、健康の有り難さ、食の大切さを考えていただきたいと思います。

最後に私を指導していただいた禅寺にて、早朝座禅の後に行なわれる粥座の前に必ず唱える「五観の偈《げ》」を記載して終わりにしたいと思います。

この本が、みなさんの健康に少しでも役立ちましたら、それ以上の喜びはありません。

みなさんの幸せを心よりご祈念しております。

「五観の偈《げ》」
一には功の多少を計《はか》り彼《か》の来処《らいしょ》を量《はか》る
二には己が徳行《とくぎょう》の全欠を忖《はか》つて供《く》に応《おう》ず
三には心を防ぎ過《とが》を離るることは貪等《とんとう》を宗《しゅう》とす
四には正に良薬を事とすることは形枯《ぎょうこ》を療《りょう》ぜんが為なり
五には成道《じょうどう》の為の故に今此《いまこ》の食《じき》を受く
(訳)・一つに、目の前に置かれた食事が出来上がってくるまでの手数のいかに多いかを考え、それぞれの材料がここまできた経路を考えてみる。

・二つに、この食事を受けることは、数多くの人々の供養を受けることに他ならないが、自分はその供養を受けるに足るだけの正しい行ないができているかどうか反省して供養を受ける。

・三つに、常日頃、迷いの心が起きないように、また過ちを犯さないように心掛けるが、その際に貪りの心、怒りの心、道理をわきまえぬ心の三つを根本として考える。食事の場においても同様である。

・四つに、こうして食事を頂くことは、とりも直さず良薬を頂くことであり、それはこの身が痩せ衰えるのを防ぐためである。

・五つに、今こうやって食事を頂くのには、人生の使命を成就するという大きな目標のためである。

感謝をこめて
加藤直哉

参考文献

『天才児を育てる「食事」』　松村百合子　コスモトゥーワン

『お腹からやせる食べかた』　柏原ゆきよ　講談社

『雑穀を食べよう』　内田弘監修　評言社

『食品成分表2012』　香川芳子監修　女子栄養大学出版部

『食べもの通信』　家庭栄養研究会　2014年7月号、8月号

『林檎の力』　田澤賢次　ダイヤモンド社

『365日たまごかけごはんの本』　T.K.G.プロジェクト　読売連合広告社

『365日なっとう納豆ナットウの本』　N.A.T.シンジケート　読売連合広告社

『常備菜』　飛田和緒　主婦と生活社

『梅干し・ウメ酒・うめ料理Q&A』　藤巻あつこ　主婦と生活社

『朝めしの品格』　麻生タオ　アスキー新書

『脳はバカ、腸はかしこい』　藤田紘一郎　三五館

『「炭水化物」を抜くと腸はダメになる』　松生恒夫　青春出版社

『青魚を食べれば病気にならない』　生田哲　PHP研究所

『ココナッツオイル健康法』　ブルース・ファイフ　WAVE出版

『油の正しい選び方・摂り方』　奥山治美、國枝英子、市川祐子　農山漁村文化協会

一〇〇字書評

切り取り線

購買動機（新聞、雑誌名を記入するか、あるいは○をつけてください）

□ （　　　　　　　　　　　　）の広告を見て
□ （　　　　　　　　　　　　）の書評を見て
□ 知人のすすめで　　□ タイトルに惹かれて
□ カバーがよかったから　　□ 内容が面白そうだから
□ 好きな作家だから　　□ 好きな分野の本だから

●最近、最も感銘を受けた作品名をお書きください

●あなたのお好きな作家名をお書きください

●その他、ご要望がありましたらお書きください

住所	〒				
氏名		職業		年齢	
新刊情報等のパソコンメール配信を 希望する・しない	Eメール	※携帯には配信できません			

あなたにお願い

この本の感想を、編集部までお寄せいただけたらありがたく存じます。今後の企画の参考にさせていただきます。Eメールでも結構です。

いただいた「一〇〇字書評」は、新聞・雑誌等に紹介させていただくことがあります。その場合はお礼として特製図書カードを差し上げます。

前ページの原稿用紙に書評をお書きの上、切り取り、左記までお送り下さい。宛先の住所は不要です。

なお、ご記入いただいたお名前、ご住所等は、書評紹介の事前了解、謝礼のお届けのためだけに利用し、そのほかの目的のために利用することはありません。

〒一〇一－八七〇一
祥伝社黄金文庫編集長　吉田浩行
☎〇三（三二六五）二〇八四
ohgon@shodensha.co.jp

祥伝社ホームページの「ブックレビュー」からも、書けるようになりました。
http://www.shodensha.co.jp/bookreview/

祥伝社黄金文庫

ご飯《はん》は最強《さいきょう》の健康食《けんこうしょく》

平成27年10月20日　初版第1刷発行

著　者　加《か》藤《とう》直《なお》哉《や》

発行者　竹内和芳

発行所　祥伝社《しょうでんしゃ》

〒101－8701
東京都千代田区神田神保町3－3
電話　03（3265）2084（編集部）
電話　03（3265）2081（販売部）
電話　03（3265）3622（業務部）
http://www.shodensha.co.jp/

印刷所　萩原印刷

製本所　積信堂

本書の無断複写は著作権法上での例外を除き禁じられています。また、代行業者など購入者以外の第三者による電子データ化及び電子書籍化は、たとえ個人や家庭内での利用でも著作権法違反です。
造本には十分注意しておりますが、万一、落丁・乱丁などの不良品がありましたら、「業務部」あてにお送り下さい。送料小社負担にてお取り替えいたします。ただし、古書店で購入されたものについてはお取り替え出来ません。

Printed in Japan　© 2015, Naoya Kato　ISBN978-4-396-31680-8 C0147

祥伝社黄金文庫

池谷敏郎
ここ10年で、これだけ変わった！
最新医学常識99
ジェネリック医薬品は同じ効きめ？
睡眠薬や安定剤はクセになるので、やめる？　その「常識」、危険です！

池谷敏郎
知らずに飲んでる
最新「薬」常識88
薬は、お茶で飲んではいけない？
市販薬の副作用死が毎年報告されている？　その「常識」、確認して下さい。

石原新菜
これだけは知っておきたい
最新　女性の医学常識78
×熱が出たら体を温める
×1日3食きちんと食べる……
その「常識」、危険です！
etc.

カワムラタマミ
からだは　みんな知っている
10円玉1枚分の軽い「圧」で自然治癒力が動き出す！　本当の自分に戻るためのあたたかなヒント集！

本間良子
本間龍介／監修
しつこい疲れは　副腎疲労が原因だった
「副腎」は、ストレスに対応するホルモンを出している大事な臓器。ちょっとした習慣で、ストレスに強い体をつくろう！

三石　巌
医学常識はウソだらけ
コレステロールは〝健康の味方〟？
貧血には鉄分ではなく、タンパク質⁉
医学の常識はまちがっている？